El éxito está en no mirar tu hoy, pero creer en tu mañana, sin dejar que tus miedos o tropiezos te detengan

Arjue

Arjue Jan 2021

Nacer pobre,
VIVIR RICO

Atrévete a alcanzar tus sueños

NACER POBRE, VIVIR RICO

Copyright ©Angee Hernández

Primera edición 2019

ISBN: 978-0-578-51238-9

www.angeehernandez.com
@angee.hernández

Producción y edición: Becoming an Influencer Corp

A Antonio y Luz Dary, mis padres,
y a mi hermana Lina, por tantos años de
sacrificios que hicieron posible ser quien soy.

Contenido

Introducción

Perdí mi techo y dormí en el carro durante los días más bajos de mi vida. Acababa de huir de una relación tóxica que me había transformado en una esclava dentro de las cuatro paredes de mi casa. La decisión llevó a que, a los días siguientes, aquel hombre pusiera a arder mi ropa y demás objetos personales en una hoguera encendida en su jardín. Sin embargo, no sería la única vez que toqué fondo.

Ya antes, recién llegada de un pequeño pueblo a un país desconocido y cuyo idioma no dominaba, deambulaba por la vida sin rumbo fijo, tomando empleos insatisfactorios que debía realizar para tener un plato de comida sobre la mesa. Mi autoestima estaba por el piso, sufrí de depresiones y en más de una oportunidad llegué a pensar que prefería estar muerta antes que seguir hundida en aquella postración.

Esa época quedó atrás. ¡Muy atrás! Hoy soy una mujer apasionada por lo que hace, económicamente próspera y que cada mañana se levanta de la cama con ganas de salir a comerse el mundo. ¡Hoy soy una mujer exitosa y que se ama a sí misma como la que más!

¿Qué pasó entre aquella etapa oscura y el brillante presente que vivo ahora? ¿Cuáles claves puse en práctica para ser lo que hoy soy? En las siguientes páginas te revelo el camino que tomé para salir de entre las sombras, y que tú también puedes seguir para lograr lo que siempre deseaste en la vida.

Este es un libro muy personal. Aquí cuento mi propia historia. Tomo muy pocos ejemplos de grandes casos de éxito y de personalidades que lograron reponerse de las dificultades hasta alcanzar una trayectoria deslumbrante. En estas líneas abro mi corazón y, como si fuera un diario que un día decidí escribir y ahora pongo en tus manos, describo los obstáculos que, como yo en el pasado, quizá tú también enfrentas a esta hora.

¿Por qué el título *Nacer pobre, vivir rico*? Muchas personas creen que por nacer en un hogar humilde deben permanecer en la pobreza hasta el fin de sus días. Nacer pobre es una circunstancia que está totalmente fuera de tu control, pero seguir siéndolo sí es tu elección. La respuesta no surge de dónde vienes o de dónde estés en este momento, sino hacia dónde decides ir.

Este libro te ayudará a tomar la decisión que yo tomé un día: no permitir que las circunstancias determinen tu destino. Sin importar las creencias que te hayan inculcado de pequeño, la educación que hayas tenido, las limitaciones físicas o psicológicas, las situaciones que hayas atravesado o el trabajo insatisfactorio que hoy realices, tú también puedes salir adelante.

El mundo es inmenso, lleno de experiencias por vivir y gente excepcional por conocer. Solo lograrás saborear todas esas maravillas si superas las ataduras que te mantienen encerrado en tu zona de confort. Esa es tu decisión: quedarte en donde estás o cambiar tu vida radicalmente.

No solo se trata de dinero. Llenas de actividades a practicar en cada capítulo, estas páginas también te ayudarán a conocerte mejor, a identificar las conductas propias y ajenas que no te permiten conquistar tus sueños, y a entender que eres una persona excepcional. Única e irrepetible.

Como principal ganancia durante el recorrido, estas páginas te revelarán cómo amarte y descubrir tu grandeza para empezar a vivir la vida que mereces.

Angee Hernández
@angee.hernandez

De un pueblo (aparentemente) tranquilo

«Siempre hay un momento en la infancia en el que se abre una puerta y deja entrar al futuro»

Graham Greene

El chorizo más largo del mundo. Si buscas en internet ese será el mayor logro que por mucho tiempo hizo sobresalir en el mapa a Santa Rosa de Cabal, Colombia, el pueblo donde nací el 29 de septiembre de 1984. El embutido de casi dos kilómetros elaborado con picadillo de cerdo, cebolla y especias asombró a tal punto al planeta que fue reseñado en el libro de récords Guinness. En apariencia, ningún otro evento excepcional pasaba en Santa Rosa de Cabal.

La Ciudad de las Araucarias, como también se le conoce por la cantidad de pinos de brazos abiertos que adornan sus calles, es el típico pueblito andino que uno ve por la ventana del carro cuando se viaja por el paisaje rural colombiano.

Ubicado al noroeste del Departamento de Risaralda, a 10 minutos de Pereira, sus habitantes se saludaban por sus nombres cuando coincidían en la plaza o al momento de dirigirse a empujar el arado a primeras horas del día. La rutina se agitaba cada segunda semana de octubre, cuando los pobladores abandonaban sus labores cotidianas para participar en la celebración de la fundación del pueblo o Fiestas de las Araucarias.

Durante mi infancia, el pueblo contaba apenas con dos colegios, uno para varones y otro para niñas, un dispensario médico, más dos iglesias pequeñitas que los santarrosanos visitaban cada domingo para cumplir con los oficios religiosos. Gracias a una rigurosa formación católica, yo asistía puntualmente a misa pues no había excusa sobre el planeta que justificara quedarse en casa.

En apariencia, la economía del pueblo giraba alrededor de la siembra de café más una modesta actividad turística impulsada años después por dos balnearios de aguas termales, un lago de barro medicinal y, por supuesto, los exquisitos chorizos de cerdo.

Y digo en apariencia pues tanta calma era aparente. Había que buscar más allá de la superficie para descubrir la cara menos serena de Santa Rosa de Cabal. Junto a Pereira y Medellín, forma parte del eje del narcotráfico que afecta a la región paisa de Colombia, lo que la convertía en otra víctima de la violencia y el miedo que dejaron huellas profundas en todos los que allí vivíamos.

Sudar por lo que quería

Mis padres provenían de orígenes distintos. La línea materna practicaba las costumbres propias de un ambiente rural (aún recuerdo cómo mi abuela tomaba por el cuello a las gallinas para degollarlas en el patio, desplumarlas y cocinar el sancocho del domingo). Aunque mi madre, Luz Dary Grajales, estudió Trabajo Social, dedicó su vida a la costura y a la crianza de sus dos hijas.

La familia paterna era más apegada a los estudios, amante de los libros y de la música clásica. Esa pasión por el conocimiento impulsó a mi padre, Antonio Hernández, a atravesar el campo, en medio de las lluvias y las vacas, luego subir a un autobús y llegar a la Universidad Libre, Seccional Pereira, para graduarse de abogado. Las diferencias entre ambos no impidieron que se enamoraran y mantuvieran una relación tan sólida como el granito: llevan juntos 46 años, entre los 10 años de noviazgo y 36 de matrimonio.

Mi padre fue y es el único hombre en la vida de mi madre y juntos enfrentaron muchos desafíos. Luego de abrir un bufete en el pueblo, en casa nunca faltó nada. Era una época próspera. Mi hermana menor Lina y yo teníamos lo que quisiéramos, ¡pero no gratis! No te confundas: estábamos lejos de ser unas niñas mimadas. Lo que queríamos había que sudarlo.

Si ayudaba en las tareas domésticas, obedecía las reglas de la casa y obtenía buenas calificaciones en la escuela, me premiaban con un juguete o recibía una pequeña cantidad de dinero para comprar mis propias cosas. Gracias a esa formación aprendí no solo el valor del respeto, sino también que puedes conseguir lo que quieras si trabajas duro.

Jugando a la tiendita

Siempre fui una buena estudiante. Me encantaba leer y aprender algo nuevo cada día. Ya entonces era muy curiosa, con personalidad de líder y, lo admito, hasta un poco controladora: en todo lo que hago soy quien toma el cucharón para revolver la sopa.

La pasión por el arte heredada de mi familia paterna me inspiró de pequeña a estudiar música y teatro, aunque la inclinación artística no ocultó mi temprana curiosidad por los negocios: a los 8 años de edad confeccionaba collares, aretes y demás bisutería que Lina y yo vendíamos en el colegio.

Mi padre me alentaba a esa actividad llevándome a comprar pedrería, canutillos y demás insumos necesarios para la elaboración de las prendas. Me sugería comparar precios, abaratar los costos comprando la materia prima en oferta, o a elevar el precio si el accesorio era confeccionado con materiales de mejor calidad o si su elaboración exigía un mayor grado de dificultad.

Las enseñanzas que asimilamos cuando niños son las semillas que luego florecen cuando somos adultos. Hoy, ya de adulta, reconozco el inmenso aprendizaje adquirido en aquellas primeras experiencias comerciales que, como si fuese un juego, también se reproducían en casa.

Con papá jugábamos a la tiendita. Él tomaba productos de la cocina, que si galletas o caramelos, para improvisar una tienda en la sala o el patio. Luego nos daba un dólar para que mi hermana y yo simuláramos que íbamos de compras a su establecimiento de mentira.

Ahí recibí mis primeras orientaciones sobre emprendimiento y el valor de no esperar a que alguien más venga a hacerse cargo de ti.

Empecé a comprender que tú mismo debes identificar las oportunidades y plantearte soluciones.

 ## Rétate

Tómate unos minutos para reflexionar sobre la crianza que recibiste durante tus primeros años, y hasta qué punto influye en quién eres hoy.

Papá se va lejos

La pobreza del pueblo, sin fábricas y pocos comercios, no brindaba posibilidades para el crecimiento económico o personal. Aquella situación llevó a mi padre a emprender varios negocios, desde un supermercado hasta una empresa de exportación de huevos.

Pero su generosidad jugó en su contra: cuando veía que un cliente no tenía el dinero suficiente para comprar los alimentos con que preparar la cena, mi padre le regalaba un par de huevos o dejaba que se llevara algunos productos enlatados bajo la promesa de que le pagaran después. Pocos llegaban a pagarle.

Tanta generosidad lo convirtió en una persona admirada en el pueblo… pero también en un pésimo comerciante. Quedó en la bancarrota y al poco tiempo los acreedores empezaron a agruparse frente a la puerta del negocio para cobrar sus deudas.

Poco tardó para que nos embargaran la casa, el carro y el establecimiento comercial. Debimos abandonar la vivienda donde nací y fui feliz durante mis primeros años, e irnos a vivir a una habitación en casa de un familiar y luego donde la abuela materna.

La situación financiera se agravó con el tiempo y, en 1992, mi padre tomó la decisión de irse a vivir a Estados Unidos en busca de un mejor futuro para todos. Llegó a casa de una tía que vivía en Stamford, en el condado de Fairfield, Connecticut, mientras el resto de nosotros permanecimos en Santa Rosa de Cabal, con el corazón roto por la partida de la cabeza de la familia.

Dormir solo 2 horas

De ser un reconocido abogado y comerciante, mi padre pasó a limpiar carros y a desempeñar modestas ocupaciones para enviar dinero a casa. Fue cocinero en una sucursal de Donut Delight, donde desde las 12 de la noche hasta las 6 de la mañana se mantenía frente al fuego de las hornillas para freír las donas.

Luego dormía un par de horas para levantarse y continuar su jornada en un segundo restaurante hasta bien entrada la noche, sin días libres de por medio. Así fue su jornada durante diez años.

Mi mamá lo esperó todo ese tiempo en Santa Rosa de Cabal, trabajando como costurera, remendando ruedos de pantalones, faldas y cosiendo uniformes. La comunicación con papá era muy precaria y no teníamos dinero para comprar los boletos para visitarlo. Hablo de los años noventa, cuando apenas empezaban a aparecer los primeros teléfonos celulares, pero ni idea del correo electrónico y mucho menos pensar en videoconferencias por Skype. (¡qué diferente es todo ahora en esta era del Whatsapp!).

Durante toda la semana esperábamos ansiosas el mejor momento de la semana, los domingos al mediodía, cuando ocurría el milagro de hablar por teléfono con papá, eso sí, no más de quince minutos para que el costo de la llamada no arrasara con el limitado presupuesto familiar.

Una chica entusiasta

Siempre fui irreverente y amante de la controversia, pese a la implacable formación religiosa que recibí en la escuela católica Lorencita Villegas de Santos. Aunque estaba prohibido usar colorete, igual me maquillaba y llevaba las medias más cortas de lo permitido. Un lunes llegué al colegio con el cabello pintado de azul y en esa semana otras compañeras empezaron a lucirlo igual.

Lo controversial iba de la mano de mis excelentes calificaciones y mi disposición a animar los eventos escolares. Desde siempre me encantó el teatro, y de adolescente participé en varias obras y concursos nacionales e internacionales. En aquella chica entusiasta y activa veo el germen de la Angee de hoy, la mujer que ahora disfruta hablar en público e impactar a las personas para despertarles el potencial dormido.

Yo no quiero ir

No tardó en llegar el momento esperado por toda adolescente: el primer amor. Al terminar el bachillerato, las mariposas revolotearon en mi estómago cuando tomaba de la mano a mi primer novio, un chico que conocía desde mis 15 años.

Gracias al ejemplo que siempre vi en casa a partir de la estable relación entre mis padres, pensé que el primer amor sería el último. Ya entonces imaginaba que caminaba luciendo un vaporoso vestido blanco rumbo al altar y que permanecería a su lado «hasta que la muerte nos separe». Esa fue una de las creencias que marcó mi vida.

Gracias a mis buenas calificaciones, obtuve una beca para estudiar Antropología en la Universidad de Caldas, en Manizales, Antioquia. Experimentar la vida universitaria fue abrirme a un mundo lejos de la típica rutina de una chica de 17 años criada en un pueblo. Ya entonces ambicionaba ser una mujer independiente y dueña de mí. Aquel sueño duró poco.

Mis aspiraciones estallaron en mil pedazos cuando mi madre tomó la decisión de viajar a Estados Unidos para reencontrarse con mi padre. Mi hermana menor ya estaba con él desde hacía varios años. Yo quedé sola, viviendo en casa de la abuela.

Rétate

Identifica ese punto de inflexión que cambió tu vida a lo que es hoy. ¿Fue para mejor o peor? ¿Ese momento te genera satisfacción o frustración?

Mis padres me insistieron para que los acompañara. Al principio me resistí a la idea. Tarde meses en tomar la decisión pues en aquel entonces yo guardaba un absurdo resentimiento con Estados Unidos: pensaba que ese país, que luego me daría tanto, había separado a mi familia.

Finalmente, decidí partir. Con apenas 18 años de edad, llegué a Nueva York el 11 de septiembre de 2002, exactamente un año después del atentado a las torres gemelas del World Trade Center. La desconfianza y el miedo que había dejado aquella tragedia aún se respiraba en el aire.

Mi vida no volvió a ser la misma.

Otro país, otra historia

«No tengas miedo de tus miedos. No están ahí para asustarte. Están ahí para hacerte saber que algo vale la pena»

C. JoyBell C.

Partí del aeropuerto de Pereira, hice escala en Bogotá, y de allí aterricé de cabeza en el aeropuerto John F. Kennedy de Nueva York. No sabía hablar inglés y olvídate de cómo preguntar dónde se encontraba la puerta de salida. Di tantas vueltas por aquel aeropuerto que un par de veces hasta fui a parar a los baños. ¡Ni siquiera sabía que EXIT significa Salida!

Llegué a vivir en el ático de la casa de una tía, en un pequeño espacio al ras del techo donde ya residían mi padre, mi madre y mi hermana. Había un solo baño para nosotros y el resto de los inquilinos. Entre todos éramos unas 20 personas y se formaban largas colas para tomar el turno en la ducha.

El frío era tremendo, aunque las bajas temperaturas trajeron una ventaja inesperada: como no teníamos cocina y mucho menos nevera, para conversar los alimentos los sacábamos por la ventana para que se congelaran a la intemperie.

No estaba contenta. En Santa Rosa de Cabal llevaba una vida que en aquel entonces parecía hecha a mi medida: estudiaba, participaba en actividades culturales, enseñaba a otros y cada mañana saludaba a los vecinos cuando iba a la tienda para comprar los huevos y el pan del desayuno. El cambio de esa rutina a vivir en una ciudad norteamericana fue una conmoción.

No hablar inglés acabó con mi sueño de ser antropóloga. Los vecinos eran unos desconocidos ni contaba con amistades con quienes compartir mi frustración. La soledad arrasó con mi entusiasmo juvenil. Sentía que no pertenecía a ningún lado, que no era parte de una cultura o de un lugar. Estaba como suspendida en el limbo. El desarraigo me llevó a sufrir de depresiones.

La vez que salí corriendo

Mi única distracción era internet. Permanecía conectada a la red durante el día y parte de la noche buscando trabajo. Ya mi hermana llevaba cinco años acá y dominaba un poco el idioma, así que me acompañó a solicitar un empleo para promocionar los planes de garantía de la tienda por departamentos Best Buy.

Durante el entrenamiento debía conversar con la clientela, pero yo solo machacaba lo básico del bachillerato: *Hi, How are you?* y *bye*. ¡Ni una palabra más! Me sentí tan frustrada que salí corriendo de la clase de adiestramiento. De más está decir que no me dieron el empleo y, de paso, despidieron a Lina.

Luego intenté varias ocupaciones temporales, hasta revendí artículos comprados en Dollar Tree, donde finalmente conseguí una plaza de trabajo. Durante esa época viví en carne propia muchas historias de discriminación: algunos clientes se burlaban de mí por balbucear el inglés al mejor estilo de Tarzán, y los mesoneros de varios restaurantes se negaban a atenderme porque yo no pronunciaba correctamente el menú.

 ## Rétate

¿No dominar un idioma es una limitante para alcanzar tus sueños? En los siguientes 7 días identifica un centro educativo en dónde aprenderlo. Luego de decidir la alternativa que mejor te convenga en tarifa y horarios, define el tiempo y los recursos necesarios para comenzar a estudiar y superar esa limitación.

Pese al desaliento, me negaba a que mis sueños se fueran por la borda. Si otras personas lo habían logrado, sabía que yo también podría.

Pero no tenía las herramientas. No sabía cómo.

Comenzar de nuevo

Las bajas temperaturas de Stamford, Connecticut, llevaron a que mamá comenzara a sufrir de artritis. Yo seguía postrada por la depresión. Esa vida que llevaba no era yo, no me representaba. Afortunadamente, papá consiguió un empleo mejor pagado en un hotel de Florida y, luego de vivir dos años en Stamford, en 2004 nos mudamos a Naples Fl., huyendo del frío y en busca de oportunidades. Allí comenzó mi actual historia. Yo ya contaba con casi 21 años.

Fue un cambio para mejorar. Teníamos nuestro propio apartamento. Pequeño y rentado, ¡pero nuestro! Empecé a trabajar en el área de recepción y desembalaje de cajas de la tienda por departamentos Tj Maxx, mientras mi padre seguía como empleado de hotel y mi madre ayudaba a la economía familiar cociendo ropa y limpiando casas.

Mi hermana laboraba en otra tienda por departamentos y ambas rodábamos ¡casi una hora! en patines para llegar al trabajo. Pasaría mucho tiempo antes de poder reunir $200 y comprar mi primer carro, un Nissan de 1980 y tanto, más viejo que yo, con la latonería roída por el óxido y, como en un episodio de Los Picapiedra, con el piso lleno de huecos por los que faltó poco para que se me salieran los pies.

Atrapados en la zona de confort

Trabajar entre los cubanos y mexicanos empleados en Tj Maxx era un festival de acentos latinoamericanos. Cada quien contaba sus historias personales, llenas de color y alegría, pero también de privaciones y sacrificios.

Aquellas vivencias me hicieron reflexionar que cualquier situación, ya sea buena o mala, es una experiencia que deja un aprendizaje. No obstante, aquellas personas seguían atascadas por años en la escasez de siempre, sin aprender la lección que necesitaban asimilar para superarse.

Ver a compañeros de trabajo que llevaban décadas desempeñando la misma tarea y sin mostrar ninguna inquietud por imponerse a las circunstancias, hizo preguntarme: ¿por qué la gente se queda aquí? ¿Por qué se resignan a un salario que apenas les alcanza para pagar la renta y los alimentos del mes? ¿Por qué no piensan más allá? ¿Por qué sus horizontes son tan limitados?

No tardé en descubrir la respuesta: el miedo a tomar riesgos los convirtió en conformistas. Cada quien tiene un propósito que lo diferencia del resto, toda persona guarda dentro de sí un regalo para la vida, ya sea sobresalir como un chef o un artista excepcional.

Pero la mayoría de los individuos se niegan a sobrepasar los límites impuestos por el entorno y siguen en la misma circunstancia hasta el día de su muerte. Están presos detrás de los barrotes de la zona de confort, ese estado mental donde la persona evita la ansiedad siguiendo la rutina de siempre.

La zona de confort es un área que abarca lo conocido y donde se sigue a gusto porque lo que ocurre alrededor está aparentemente bajo control. En ese espacio se sienten confortables y seguros porque fuera de sus límites quedan los peligros, pero también las posibilidades para desarrollarse. ¡Fuera de la zona de confort espera la vida!

No solo se da en el campo laboral. Continuar atado a un matrimonio insatisfactorio, seguir viviendo en un vecindario desagradable porque se conoce dónde queda todo, o resignado al mismo círculo de amistades aburridas por miedo a conocer gente nueva, son algunas de las variantes de la zona de confort formada por varias áreas:

- La zona segura como tal.

- El área de aprendizaje, donde debemos enfrentar lo desconocido y aprender.

- El área mágica/pánico según cómo la enfrentes.

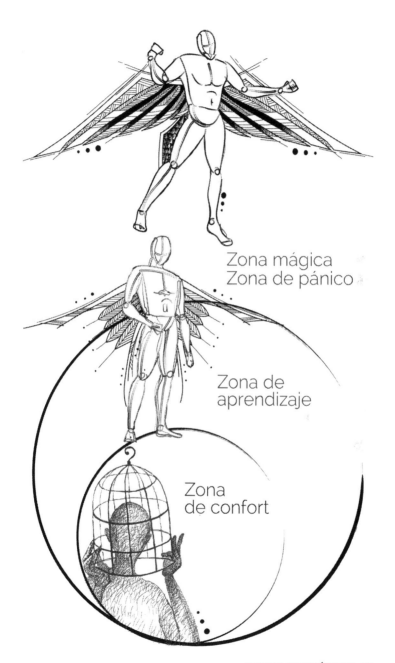

Zona mágica
Zona de pánico

Zona de
aprendizaje

Zona
de confort

Finalmente, y a veces sin saberlo conscientemente, la persona termina siguiendo una rutina que es la primera barrera que le impide aventurarse a perseguir sus sueños. El miedo a arriesgarse los paraliza.

 ## Rétate

Identifica tu zona de confort, es decir, aquellas rutinas que realizas en tu día a día que, quizá sin saberlo, no están alineadas con tus sueños. Pueden ser parte de tu rutina laboral, familiar, de amistades o cualquier otro ambiente en el que te desempeñes.

Vence el miedo

Salir de la zona de confort es como entrar a un campo de batalla cuyo adversario a vencer son los pensamientos del tipo «no puedo», «es imposible», «soy incapaz» o «no sirvo para eso».

Es decir, no se trata de un factor externo, por el contrario: el enemigo habita en ti. Está dentro de tu mente. Y te dice a cada momento que no eres capaz ni cuentas con las habilidades necesarias para encarar los retos que se te presenten.

No obstante, al salir de tu zona de confort comenzarás a tomar conciencia de los miedos que levantan uno a uno tus barreras mentales como los bloques de una pared. Después del miedo aguarda la grandeza.

Ahora la pregunta del millón de dólares que seguramente te estás haciendo en este momento: ¿cómo combatir ese miedo? Yo no tenía la respuesta en ese momento. Cuando quieres salir adelante hay muchos pasos que debes tomar pero que ignoras. Eso ocurre porque has permanecido por mucho tiempo en la zona de confort donde conoces todas las respuestas a tu limitada existencia.

Las dudas y sus soluciones llegan cuando avanzas y pones un pie fuera de tu área de seguridad. Luego de varios años de vivir experiencias amargas y el aprendizaje que ellas me dejaron, descubrí tres claves que para mí fueron de mucha ayuda y que a ti también te serán de gran utilidad:

- Cree en ti.

- Define tu destino.

- Reconoce que siempre habrá obstáculos.

Cree en ti

Define
tu destino

Reconoce que
siempre habrá
obstáculos

Cree en ti

El origen del miedo es la falta de confianza en ti para superar un reto. Son muchos los factores que te llevan a perder la fe en ti. Esa falta de autoconfianza pudo originarse en las inseguridades asimiladas en el hogar o en la escuela, o porque sigues enfrascado en las malas experiencias del pasado y ahora no te atreves a darte una segunda oportunidad. Entonces, dudas de tus capacidades y te dices «mejor no lo intento para no fracasar».

«Tan pronto como confíes en ti, sabrás cómo vivir», dio en el clavo el poeta, novelista y científico alemán Johann Wolfgang von Goethe. Tan importante es esta clave que, así como los dos siguientes puntos, los iremos trabajando a lo largo de este libro, ¿Ok?

Define tu destino

Tener identificado un destino es el primer paso para alcanzarlo. Digamos que debes viajar de Florida a Nueva York. Registras la dirección en el GPS del auto y sabes que el recorrido tardará cierto número de horas. Conoces tu destino.

Igual pasa con los sueños. Pero si careces de destino permanecerás dando tumbos de aquí para allá, sin rumbo definido, yendo de un lado a otro sin saber cuál será tu paradero.

Rétate

Apunta en un cuaderno qué metas quieres alcanzar en un lapso de seis meses, un año y cinco años. Recuerda que esas metas deben estar alineadas entre sí. Luego, debajo de cada meta, apunta las acciones que debes realizar para alcanzarlas.

Reconoce que siempre habrá obstáculos

Michael Jordan, uno de los mejores basquetbolistas de todos los tiempos, en cierta oportunidad fue rechazado del equipo de la preparatoria; y al director Steven Spielberg le negaron en ¡tres ocasiones! el cupo en la escuela de cine.

Y hasta un productor británico de nombre Decca, en 1962 se rehusó a contratar a The Beatles bajo el siguiente y endiabladamente equivocado argumento: «Los grupos con guitarras están en decadencia». ¡Imagínate si esos prodigios se hubiesen dado por vencidos luego de esas absurdas negativas!

El *status quo* está organizado para limitar tu crecimiento. Es un hecho comprobado que, si eres parte de un sistema, ya sea corporativo, militar, empleado o autoempleado, el sistema no te la pondrá fácil para que superes tu actual condición.

De allí la importancia de reconocer que los obstáculos existirán en todo momento, sobre todo cuando se pisa territorio desconocido fuera de la zona de confort.

Los fracasos eventuales son una constante de la vida que no podemos controlar, pero enfrentar esos fracasos sí está en tus manos. ¡Tirar la toalla no es la opción! La alternativa es replantear el esquema. Así lo hizo Ariadna Gutiérrez, Señorita Colombia 2014, a quien nombraron ¡ni por dos minutos! ganadora de la 64.ª edición del concurso Miss Universo celebrado en diciembre de 2015 en Las Vegas.

Ariadna apenas lució la corona durante 1 minuto 58 segundos. Luego de ese cortísimo tiempo, el comediante y presentador del concurso, Steve Harvey, regresó al escenario para aclarar que todo fue una equivocación y que la ganadora oficial del certamen era la representante de Filipinas. ¡Yo no podía dar crédito a lo que veía en la televisión!

Ariadna se pudo haber derrumbado, pero ella fue más fuerte que esa adversidad. Creció y aprovechó la circunstancia. Como toda persona con empuje y que se ama, después de aquella amarga noche alcanzó objetivos muy superiores que los que hasta ese momento había conseguido.

Los contratos y las campañas de publicidad empezaron a lloverle, ha desfilado por las mejores pasarelas de moda del planeta, participado en eventos en la Casa Blanca, y recibe jugosas ofertas de Hollywood. Hoy su éxito es invaluable. Ariadna, como el ave Fénix, renació de sus cenizas.

La vida no le pone pruebas a las personas que no tienen las capacidades para superarlas. Atrévete a alterar tu rutina y a ir más allá de lo conocido, a expandir tu universo de conocimientos y emociones. Siempre aprenderás a adaptarte a nuevas situaciones si las asumes como un desafío, reconociendo tus debilidades y fortalezas para afrontar los cambios.

Rétate

Te sugiero el siguiente ejercicio para afrontar el miedo a salir de tu zona de confort: observa tu situación en este momento como una imagen reflejada en un espejo, pero esa imagen no eres tú sino otra persona. Cuando examinas tu circunstancia desde una perspectiva externa, empezarás a descubrir soluciones para conseguir lo que quieres.

21 días para empezar a cambiar

Al contrario de muchos de mis compañeros de trabajo durante la época en que trabajé en TJ Maxx, poco a poco empecé a involucrarme, a moverme y a gestionar nuevos desafíos. Tomé la decisión de dominar el inglés. Asistí a clases, escuchaba canciones, veía películas y leía todo lo que cayera en mis manos en ese idioma. ¡Estaba determinada a cambiar mi vida! Cada obstáculo era solo otro puente a cruzar.

Al poco tiempo de trabajar en TJ Maxx, fui ascendida del depósito de recepción de mercancía a atender una caja registradora. «Oh, qué gran logro... ¡ahora Angee es cajera!», quizá estás pensando en tono burlón. Pero recuerda la postración absoluta que viví durante mis primeros meses en Estados Unidos. Ya había dado un gran paso adelante.

El éxito no se da de la noche a la mañana. Una estrategia extraordinaria para empezar a cambiar es practicar el reto de los 21 días. El psicólogo William James descubrió que ese es el lapso necesario para que tu mente y tu cuerpo asuman un nuevo hábito mediante el método de la repetición.

Abundan las pruebas científicas que avalan esta teoría: el cirujano plástico Maxwell Matz describió en la década de los 60 del siglo anterior que los pacientes tardaban 21 días en acostumbrarse a su nuevo aspecto, ese también es el periodo en que demoran las células madre en dividirse, así como es el lapso que dura el biorritmo emocional.

Aplica el método de los 21 días si deseas marcar una diferencia en tu vida. Por ejemplo, si quieres ser cantante, imponte la regla de cantar, ya sea en un evento local o en un karaoke, durante ese periodo. Luego de ese tiempo, tu cuerpo, tu mente y tu corazón lo aceptarán naturalmente como una realidad que forma parte de ti. La clave es mantenerte motivado para adaptar ese nuevo hábito que deseas.

Puedes probar a la inversa para erradicar de tu rutina costumbres que te desagradan. Si quieres dejar de fumar, imponte no tomar un cigarrillo durante 21 días. O si peleas frecuentemente con tu pareja, ponte la meta de mantener una relación armoniosa durante ese periodo. Pasado ese tiempo, notarás que no se trataba de un desafío imposible.

Rétate

Para salir de tu zona de confort, imponte cumplir retos que te atemorizan. Por ejemplo, si sufres de timidez o te da miedo hablar en público, proponte conversar cada día durante tres semanas con una persona desconocida.

Siempre hay dos opciones luego de caer: o te quedas abajo, derrumbado de por vida a la altura de las baldosas del piso, o te levantas con mayor fortaleza. Esta última fue la opción que tomé durante aquella época. La vida empezaba a sonreírme. Me rehusaba a doblegarme o resignarme. Sabía que estaba hecha para cosas grandes.

Pero los eventos que pasaron luego apagarían por mucho tiempo a aquella Angee que empezaba a mirar el horizonte para alzar el vuelo.

Sin notarlo al principio, me rompieron las alas.

Prisionera en casa

La curiosidad por una vida en compañía de una pareja me impulsó a cruzar la puerta del apartamento que compartía con mi familia en Naples. No diré que fue el peor error de mi vida, pero irme a vivir con aquel hombre me llevó el abismo.

Al principio era un sujeto lleno de alegría, económicamente estable y, todo hay que decirlo, muy bien parecido. Más allá de esos atributos, yo sentía la necesidad de formar un hogar propio y que durara toda la vida. Esa era una de las creencias con las que me habían formado desde niña: tener como máxima aspiración ser la dueña de un reino cuyos límites llegaban hasta la cerca del jardín.

El «felices por siempre» duró poco. Él perdió su empleo meses después de vivir juntos. Se sintió desmoralizado y pasó a estar todo el santo día echado sobre el sofá jugando videojuegos. No había palabras de aliento que lo animaran y, al contrario de lo que pasa en el cuento de hadas, el príncipe azul se transformó en sapo, en un individuo controlador y posesivo.

Me prohibió salir de la casa a compartir con familiares o amigas. Ni siquiera yo tenía permitido ir hasta la gasolinera para abastecer de combustible el carro. Prescindía de hablar por teléfono porque me asustaba cómo reaccionaría él. Le temía.

Del trabajo a casa debía demorar exactamente los 15 minutos que duraba el recorrido. Si tardaba un minuto más en llegar, al apenas cruzar la puerta llovía sobre mí una tempestad de recriminaciones: «¡¿Dónde estabas?!», «¡¿con quién andabas?!», «¡¿por qué la tardanza?!».

Fui prisionera en mi propia casa. Una esclava de una relación abusiva.

Aquel infierno duró cuatro años.

Así se come un elefante

¿Por qué permanecí tanto tiempo dentro una relación asfixiante? Mi primera respuesta es: ¡por estúpida! Segundo, por mi educación religiosa. Había crecido creyendo que una relación de pareja debía durar toda la vida. A cualquier costo. Así que pretender algo mejor era un pecado por el que sería castigada con las llamas del infierno. También temía a lo que los otros dirían tras enterarse del fracaso de la relación y, por supuesto, a cómo él reaccionaría si yo ponía un pie fuera de aquellas cuatro paredes.

Había dejado atrás mi vida en Colombia y mis padres se habían sacrificado toda su vida por mí y por mi hermana, ¿para qué? ¿Para no ser alguien ni poder vivir? Yo no era nadie en aquel momento. Mis sueños de ser música, actriz, antropóloga y viajar habían quedado en el fondo de mi existencia, detrás de una vida llena de prohibiciones.

Respirar, trabajar, comer y complacer a un hombre. Esos eran los únicos verbos que conjugaba en ese entonces. Hasta llegué a pensar que preferiría estar muerta a seguir dentro de aquella situación. Tenía apenas 23 años.

Uno no entra a este tipo de cárceles con un solo paso. A veces ocurre sin darte cuenta. Vas aceptando gradualmente y sin notar que con cada día que pasa resbalas más al fondo. Es como comerse un elefante. Lo vas masticando de bocado en bocado. Hasta que te lo tragas completico. Primero aceptas con cierta compresión que a tu novio no le guste que hables con otros hombres. Accedes para respetar sus deseos. Ese es un primer bocado del elefante.

Poco a poco sigues permitiendo que te impongan que debes ir directo del trabajo a la oficina porque, supones, él quiere estar contigo. Ese es el segundo bocado. Luego vienen muchos más. Hirientes y escalonados. Hasta que finalmente descubres que estás siendo controlada, usada, irrespetada, y que no te valoran.

Ya te tragaste todo el elefante.

Rétate

Para evitar ser manipulado o manipulada gradualmente y sin darte cuenta, identifica cuando te están dando a probar las primeras cucharadas del elefante. Presta atención a las pequeñas trampas que las otras personas te tienden a modo de globo de ensayo para probar si reaccionas o te dejas conducir mansamente por un camino que no es el tuyo.

La peor noche de mi vida

No sé si te ha pasado alguna vez que llegas a un límite y te dices: «no importa si hoy muero, ¡pero hasta aquí llega esto!». Ese mismo pensamiento cruzó por mi mente aquel día de la primavera de 2007.

Recuerdo estar sentada en el comedor de la casa. Él seguía tumbado sobre el sofá, entretenido con sus videojuegos. «¿Es esta mi vida? —me pregunté—. No puedo más. No me veo aquí durante el resto de mi existencia».

Ya había tomado una decisión ante la que, supuse en ese momento, él se pondría violento y me agrediría físicamente. Igual me armé de valor y le dije: «Ya no quiero seguir contigo». Fue la peor noche de mi vida. Poco faltó para que me golpeara. Hubo gritos y acusaciones durante unas horas que me parecieron eternas. Que con quién lo engañaba, que qué sería ahora de mi vida sin él ¡Hasta lloró para manipularme! Pero así amenazara con meterme la cabeza dentro del horno, ya yo estaba decidida a no pasar una noche más a su lado.

Es difícil tomar esa decisión. Son varias las razones que llevan a que muchas mujeres continúen en esa misma posición, ya sea por miedo a su pareja, porque son chantajeadas psicológica y emocionalmente, o por seguir brindándoles un techo a sus hijos. Todas esas razones se resumen en una sola: el temor a lo que podría pasar si se atreven a decir basta.

Es una decisión de vida que afecta no solo las relaciones tóxicas, sino también a las personas que estudian una carrera que aborrecen, a quienes siguen en un empleo que los hace infelices, o a los que temen revelar su verdadera orientación sexual por miedo al qué dirán.

Muchos sueños, ya sean las ganas de escribir un libro o una canción, siguen siendo solo sueños porque sus soñadores no se atrevieron por miedo al rechazo y a la incertidumbre del día siguiente.

Pero escapar de ese infierno es la mejor alternativa que se puede tomar. Y así lo hice.

Mi mundo hecho cenizas

Esa noche empaqué mi cepillo de dientes, tomé a mi gata Gabriela, mi cámara fotográfica, y cerré la puerta tras de mí. Por varios días estuve sin techo. El primer día me alojé en casa de una amiga, luego en el sofá de una compañera de trabajo, y un par de noches después dormí en el asiento trasero de mi carro. Lloré hasta el amanecer.

Cuando supuse que ya había pasado su furia inicial, me atreví a hablar de nuevo con él para explicarle las razones de por qué sería mejor separarnos. Reaccionó con tranquilidad. Dividimos nuestras pertenencias personales para que cada quien tomara un rumbo distinto.

Fue en ese momento cuando me atreví a confiarles a mis padres la situación. Sabían que yo estaba sufriendo y me invitaron a quedarme en su casa hasta que volviera a estabilizarme económica y emocionalmente.

Llegó el día acordado para recoger mis efectos personales en casa de mi ya entonces expareja. No di crédito a lo que vi. ¡Había quemado todas mis pertenencias! Los libros que traje conmigo desde Colombia, las fotografías de cuando niña, mi ropa, todos mis recuerdos, estaban hechos cenizas, desgarrados o cortados con tijera. No sabía si llorar o reír a carcajadas.

Nunca más supe de él.

¿Eres victorioso o víctima? ¡Empodérate!

Todo el mundo aprecia los diamantes. Pero antes de ser una piedra preciosa, el diamante era un pedazo de carbón que fue forjado a presión. Igual pasa con cada uno de nosotros: somos como ese carbón que, para deslumbrar, debe pasar por situaciones malas y buenas, rechazo, abandono o burla.

Quizá te sientas de lo peor en ese instante, pero cada presión que recibes está forjando tu calidad de diamante. Pero todo este proceso comienza con el amor propio. Si deseas convertir en realidad tus ambiciones, abraza a esa persona que se siente ganadora. Acéptala y déjate guiar por ella.

 ## Rétate

Pregúntate: cuando pasas por situaciones difíciles, ¿las asumes como un aprendizaje o, por el contrario, como una calamidad insalvable?

Ante cada situación adversa que enfrentes en la vida debes tomar la siguiente decisión personal: ¿soy el victorioso o la víctima? Si recurres a frases como «mi jefe no me entiende», «estoy muy gordo», «mi pareja me maltrata», te estás ubicando en la posición de víctima.

Muchas personas juegan el rol de víctimas porque es más fácil lamentarse, culpar a los factores del entorno y sentir lástima por ellas mismas, que asumir la responsabilidad y tomar las riendas.

Rétate

El primer paso para superar la condición de víctima es recuperar el amor propio. ¿Cómo lograrlo? Deja de sentir culpa por lo sucedido y ábrete al perdón. No solo al perdón a la situación o persona que te ocasionaron daño, sino al perdón hacia ti mismo.

En todas las situaciones que enfrentes siempre habrá aspectos positivos y negativos, pero para salir adelante tienes que elevarte como el victorioso. Pero cuidado: ser victorioso no es asumirse como el victimario, término que expresa agresividad en contra de otra persona. La postura a la que me refiero es la del triunfador que se sobrepone y no se deja avasallar por las circunstancias.

Claves para empoderarte

Yo le había cedido el poder de mi vida a aquel hombre, pero cuando abrí los ojos y advertí que la realidad que me rodeaba no era la que deseaba para mí, no me quedé atorada y tomé la decisión de avanzar.

Siempre habrá consecuencias, por supuesto, pero es el momento de reflexionar: ¿qué voy a hacer ahora? ¿Me quedaré llorando sintiéndome una víctima o, por lo contrario, me levantaré a recuperar el doble de lo que perdí?

Para ser victorioso es fundamental empoderarte y asumir como propias las siguientes afirmaciones, las cuales recomiendo que te repitas a ti mismo al menos una vez al día:

- Me valgo por mí mismo.
- Defiendo con firmeza mis decisiones.
- No permito ser influenciado de forma negativa.
- Reconozco mis debilidades y las convierto en fortalezas.
- Mantengo alta mi autoestima.
- Establezco metas y trazo un plan para lograrlas porque confío en mí mismo.

Volver a soñar

«Todos nuestros sueños
pueden hacerse realidad,
si tenemos el coraje de
perseguirlos»

Walt Disney

Por meses permanecí en trance y sin dirección. Tanto tiempo dentro de aquella situación abusiva me había hecho perder el rumbo. Sentirse sin apoyo para perseguir los sueños es una de las emociones que invaden a una persona cuando deja atrás una relación. Estaba desempoderada.

En aquel momento no manejaba las herramientas que te comenté en el capítulo anterior. Mi autoestima se encontraba por el piso, hasta llegué a pensar que él tenía la razón, que yo era la mala por haberme ido. Temía ser castigada por Dios por no haberme esforzado lo suficiente. Me sentía fea. Sucia. Sin valor. La Angee que se mostraba activa y entusiasta en el trabajo, a la que le apasionaban la música y la fotografía, era apenas un recuerdo borroso.

«Ya no hay hombres buenos», me decía a mí misma. Los aborrecía y, al mismo tiempo, me daba miedo hablar con ellos: ¡hasta temía preguntarle al empleado del supermercado por los precios de las legumbres o si las manzanas estaban frescas!

La importancia de los otros

Antes de 1954 se creía que el ser humano no era capaz de correr una milla en menos de 4 minutos, que el cuerpo no podía moverse tan rápido. Hasta que ese año el mediocampista inglés Roger Bannister lo logró. Luego muchos atletas superaron su récord.

Con este ejemplo quiero ilustrar que, si otros pudieron, tú también puedes lograrlo. Ese conocimiento te dará un punto de referencia para comparar que tus vivencias, por muy desafortunadas que sean, no son tan graves como las que otros padecen.

Es importante escuchar historias ajenas y los desafíos que sus protagonistas superaron para aplicarlas a tus propias vivencias y entender que sí se puede. Dudo que alguien inmerso en la soledad absoluta logre sobreponerse a una adversidad grave: de una u otra forma necesitamos del entorno, por lo que socializar y seguir trabajando junto con otras personas me ayudó a superar aquella crisis.

En el trabajo empezaron a contarme historias parecidas a la mía, y a sugerirme alternativas para poner fin al desaliento. Supe que, además de mi familia, a mi alrededor había gente que me quería y continuaba a mi lado. Me sentía perdida, pero no sola.

Rétate

Asegúrate de tener una sólida red de apoyo social con la que sostenerte en las horas difíciles. Ten la opción de abrirte a establecer nuevas relaciones y explorar fuera de tu zona de seguridad.

«Angee, ¿cuáles son tus sueños?»

Entre las personas excepcionales que conocí durante aquella época, llamó mi atención un cliente del Orion Bank, el banco donde yo trabajaba en ese entonces. Cuando atendía sus operaciones financieras, él me confiaba con emoción y de lo más orondo los emprendimientos que llevaba adelante. Yo admiraba sus ganas inmensas de comerse el mundo. Y no me da pena confesarlo: ¡hasta envidiaba tanto entusiasmo!

Luego de varias conversaciones, me preguntó:

—Angee, ahora dime tú: ¿cuáles son tus sueños?

No supe qué responder. No había nada allí. Reconocer que carecía de aspiraciones fue un clic que me dejó en una sola pieza. Yo no tenía un porqué. Vivía de la nada y en la nada. Fue una bofetada admitirle a él, pero principalmente a mí misma, que yo estaba vacía de esperanzas. Y carecía de esperanzas porque sin sueños no se tienen esperanzas.

—No tengo ningún sueño. Quizá algún día llegue a supervisora de cajeras… —le confesé en el intento por emperapetar mis carencias.

Empezó a fulminarme con preguntas esenciales. Que adónde me gustaría viajar y cuáles sitios conocer, qué clase de vida me gustaría vivir, cuál quisiera que fuera la motivación para levantarme de la cama cada mañana.

A medida que respondía sus preguntas, caía el velo que por mucho tiempo cubrió mi porvenir. Mi mirada recuperó un brillo que había perdido mucho tiempo atrás y empecé a imaginar de nuevo la vida que un día quise para mí. Empecé a soñar otra vez. Y a tomar nota de esos sueños.

 ## Rétate

Anotar tus propósitos es un ejercicio que siempre aconsejo: siéntate a solas en un espacio tranquilo y apunta en una libreta qué lugares del mundo quisieras conocer, el tipo de trabajo que quisieras ocupar, en el que te encantaría invertir todas las horas de tu día, en cuál vecindario de la ciudad quisieras vivir, el modelo de vehículo que deseas manejar o la marca de ropa que anhelas lucir.

Las siguientes conversaciones con él reactivaron mi entusiasmo. Me enseñaron a conocerme otra vez y a recuperar mi valor. Trajeron de vuelta a una mujer inquieta que ya no se conformaría con levantarse cada mañana para salir a buscar el dinero con el que llegar, a duras penas, a fin de mes.

Aquellas conversaciones me hicieron comprender que eso no me bastaba. Que ya no debería seguir postergando mi vida detrás de las responsabilidades del día a día, del miedo al qué dirán y las creencias aprendidas desde la niñez.

Rétate

Te invito a cuestionarte: ¿alguna vez dejaste de soñar? ¿Cuándo perdiste esa capacidad de volar con la imaginación? ¿Estás motivado para volver a soñar?

Excusas para procrastinar

Cuando tienes la autoestima baja no sueñas o no sueñas en grande porque te crees incapaz de alcanzar tus aspiraciones. Un amor propio por el piso te hace suponer que nada espera por ti más allá de los límites de la existencia que vives hoy.

Y cuando crees que las cosas buenas de la vida son para otras personas, no para ti, empiezas a inventar excusas para justificar tu falta de sueños: «no tengo la ciudadanía», «soy muy alto», «soy muy bajo», «carezco de la educación necesaria», «quienes me rodean no me apoyan». Miles. ¡Millones de excusas! Y si crees que una excusa no es lo suficientemente buena para detenerte, te inventas otra más convincente y empiezas a procrastinar.

Proveniente del latín *cras*, que significa mañana o adelante, procrastinar es aplazar las tareas buscando alguna justificación para no realizarlas. «No soy lo suficientemente bueno para esta ocupación» o «nadie va necesitar de mi trabajo», son algunas de las muchas excusas que nos planteamos para dejar de actuar.

Reconoce la procrastinación por lo que realmente es: pretextos y justificaciones para no hacer nada. Admite tus miedos y dudas como las razones por la que aplazas tus responsabilidades, sin culpar a otros o a circunstancias externas. Acepta que se trata de un obstáculo interno que debes resolver. De allí la importancia de convencerte que tú sí puedes.

Los sueños se construyen desde la esperanza. Puedes comenzar a soñar con la felicidad en tu matrimonio, con obtener el título universitario que siempre quisiste, soñar con lograr, con tener, con hacer. Descubre lo que quieres y aquellos objetivos por los que vale la pena luchar porque, como llegó a decir el poeta y novelista francés Víctor Hugo: «No hay nada como un sueño para crear el futuro».

Si quieres ponerte en forma, deja de buscar evasivas como que el gimnasio queda muy lejos o su horario no te conviene. «Mantén tus sueños vivos. Para lograr cualquier cosa requieres fe y creer en ti mismo, visión, trabajo duro, determinación y dedicación. Todo es posible para quienes creen», dijo en una oportunidad Yolanda Gail Devers, atleta estadounidense dos veces campeona olímpica de los 100 metros planos.

Si enfrentas la procrastinación, las excusas y las dudas sobre ti mismo, ¡ya nada te detendrá!

Rétate

Para evitar la procrastinación, plantéate trabajar 5 minutos en esa actividad que rehúyes. Notarás que el miedo a desempeñarla desaparece, así como cierta fuerza de inercia positiva que te impulsará a continuar y concluir el trabajo.

Descubre quién eres y tu propósito

«No es hasta que
estamos perdidos
que comenzamos a
comprendernos
a nosotros mismos»

Henry David Thoreau

L os sueños regresaron a mí y recuperé la capacidad de imaginar una mejor vida. Pero ahora se abría un nuevo desafío: dar los pasos necesarios para volver realidad esos sueños.

Nunca haber estudiado diseño de moda ni tener mayor experiencia en asuntos de negocio no fueron obstáculos para sacar de la nada mi compañía de trajes de baño Ocean Deluxe. A golpe de ensayo y error lancé la página web, e investigué para buscar proveedores en China de cara a la importación de materia prima y la fabricación de los trajes de baño.

Tardé dos años en darle forma a la empresa. Durante ese tiempo estuve clara que yo misma figuraría como la modelo de la marca, e identifiqué algunas revistas de moda que podrían reseñar mis creaciones.

¡Todas esas metas que un día escribí en un papel comenzaron a hacerse realidad!

Un rompecabezas incompleto

Ocean Deluxe tuvo un éxito extraordinario en Estados Unidos. ¡Me sorprendí con lo que había logrado! Salí de la noche al amanecer de mi vida: más de 27 publicaciones en revistas y periódicos durante el verano de lanzamiento. Emprendí con menos de $200 en capital, para, a finales del primer año, obtener alrededor de $100 000 en ventas.

Esta experiencia empresarial confirmó mis capacidades, me encarriló de nuevo e hizo germinar la semilla de la confianza en mí. Me empoderó y elevó mi autoestima. Salí reconstruida y más fuerte que antes.

Capítulos más adelante te explicaré los pasos que di para alcanzar este y otros logros. Antes debo decirte que, pese al éxito de mi marca de trajes de baño, sentía que algo faltaba en mi interior: yo era como un rompecabezas cuya imagen comienza a verse, pero que aún le faltan varias piezas por encajar.

Empieza por conocerte

Varios años atrás abandoné mi país natal para buscar el sueño americano, y trabajé en servicio al cliente hasta que decidí comenzar mi propio negocio tradicional con la esperanza de construir la vida que merecía. Logré mis sueños en muchos aspectos, pero me encontraba en medio de una rutina que no respondía a mi esencia.

De pequeña me apasiona liderar, ayudar a otras personas, hablar en público y formar parte activa de una comunidad. Pero esos rasgos de mi personalidad no se reflejaban en mi día a día en Ocean Deluxe. Pese al éxito financiero, sentía que aún no estaba cumpliendo con mis expectativas de vida.

Puedes ganar mucho dinero con la actividad que realizas, pero si esa tarea no te emociona y no hace palpitar tu corazón, no eres feliz porque no estás cumpliendo con tu propósito de vida.

Así me sentía durante la etapa más exitosa de la compañía. Dicen que un paso atrás ni para tomar impulso, pero hay momentos en que tienes que apretar el botón de pausa y escuchar tu intuición para reflexionar sobre lo que realmente quieres.

Así que decidí vender la compañía y partir en busca de mí misma.

3 preguntas para encontrarte

Tras vender la compañía me encontré ante una nueva disyuntiva existencial: ¿quién es realmente Angee?, ¿qué buscaba de la vida?

Para responder estas cuestiones fundamentales, me planteé las siguientes preguntas. Te invito a que tú también te las hagas antes de ir en busca de tus sueños:

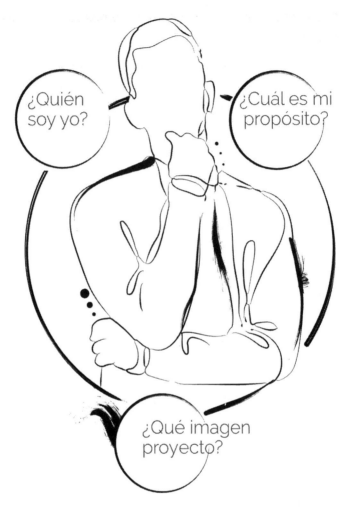

¿Quién soy yo?

Cuando éramos pequeños teníamos un entendimiento instintivo sobre quiénes somos y cómo hacemos las cosas. A medida que crecimos, dejamos de escuchar nuestro entendimiento interno y hacemos lo que otros nos dicen que debemos hacer.

Esa desconexión con nosotros mismos se da por muchas razones, ya sea por encajar, por ser aceptados o por no llevar la contraria de lo que nos dicen. Si la mayor parte de tu tiempo te sientes insatisfecho o decaído, con cierto vacío emocional o triste sin una razón específica, quizá se deba a que necesitas conectar con tu interior. Conocerte y conectar contigo es fundamental para disfrutar de una existencia serena y armónica.

Examinarte a ti mismo es el primer paso para encontrarte y reconocer que tú eres el motor de tu propia existencia. Así que llena este capítulo de preguntas cuyas respuestas te ayudarán a saber quién eres tú:

- ¿De qué estoy hecho?
- ¿Para qué soy bueno?
- ¿Me gusta permanecer aislado o compartir con otros?
- ¿Prefiero dar o recibir?
- ¿Soy más de escuchar lo que otros dicen o de tomar siempre la palabra?

Las preguntas que te planteé fueron solo una sugerencia de mi parte. ¡Hazte tú las que consideres necesarias para conocerte mejor y entender quién eres como persona, cuáles son tus valores, cualidades, así como tus debilidades y fortalezas!

Conocerte es vital porque, sea cual sea el destino que te traces, tú serás siempre el punto de partida. Escucha aquello que su esencia te pide, lo que necesitas hacer o decir para ser feliz. ¡Descubre la persona que quiere ser y no dejes que nada ni nadie te aparten de ello!

Rétate

Ya sea en la cama o en el parque, tómate un momento al día para adentrarte en tu propio mundo interior. En ese momento de conexión pregúntate qué estimula tu existencia. Eso sí: sin juzgarte, solo trata de encontrar las respuestas que definan tu verdadera esencia.

¿Cuál es mi propósito en la vida?

Si hace rato te dije que tú eres el motor de tu vida, ¡el propósito es la gasolina que echará a andar ese motor!

Muchas personas se esforzaron por lograr un título universitario de abogado o ingeniero, pero terminan en un restaurante trabajando de mesonero o lavaplatos porque cursaron sus estudios para complacer a sus padres. Así que ten siempre en cuenta que las respuestas de tu propósito deben obedecer exclusivamente a tus propias inquietudes, no a las de parientes, amigos o pareja.

Si decides convertirte en gerente de una empresa solo para seguir una tradición familiar, es muy probable que fracases porque respondes a presiones externas que no reflejan lo que realmente quieres hacer. De ser así, serás como esos individuos que van por la vida imitando a otros o satisfaciendo a terceros.

La siguiente situación ficticia te ayudará a responder esta segunda pregunta: si tuvieras un millón de dólares y solo 48 horas para gastar todo ese dinero, que no sea invertirlo o dejarlo guardado en el banco, ¿en qué actividad lo usarías?

Muchas personas responden que viajarían o le darían a su familia todas las comodidades. La respuesta a esta pregunta revela la esencia que sirve de combustible a tu existencia. Ahí está el germen de tu pasión, tus sueños, inquietudes, expectativas de vida y el legado que quieres dejar. Algunas otras preguntas específicas para resolver esta interrogante son:

- ¿Me gusta lo que hago?

- ¿Qué otra cosa me gustaría hacer?

- ¿Qué necesito para conseguirlo?

- ¿Conozco a las personas que ya han hecho lo que me gustaría hacer?

- ¿Qué precio estoy dispuesto a pagar para conseguirlo?

- ¿Cómo será mi vida cuando cumpla con mis sueños?

Rétate

Haz una lista de las 10 características de tu personalidad que te gustan, ya sea un gran sentido del humor, responsabilidad o disciplina. Ahora elige 3 de esas características y define igual número de actividades para plasmarlas.

¿Qué imagen proyecto ante el mundo?

Somos seres sociales y nuestros sueños se materializan en un contexto donde nos relacionamos los unos con los otros. Así que con tu respuesta a esta tercera pregunta identificarás si la imagen que proyectas ante el mundo coincide con los sueños que deseas alcanzar.

Solidaridad, empatía, bondad, velar por los intereses del prójimo y la generosidad de tus acciones son los valores que te servirán de filtros para realizar esta evaluación. Las siguientes preguntas te ayudarán a formarte una mejor idea de la imagen que proyectas, y si esa imagen es coherente con tu esencia y propósito:

- ¿El último halago que recibí se basó en mi físico, mi ropa, mi desempeño laboral, o en un rasgo de mi personalidad?

- ¿En qué se basó la última crítica que me dieron?

- ¿Mis amigos y familiares recurren a mí cuando necesitan ayuda?

- ¿Me muestro dispuesto a conocer gente nueva y fuera de mi zona de comodidad?

- ¿Cuándo fue la última vez que ayudé a un anciano a cruzar la calle o le cedí mi asiento en el autobús a una persona con discapacidades físicas?

- ¿He mentido sobre otras personas en beneficio propio?

- Si veo que un conocido está preocupado, ¿le pregunto qué le sucede o paso de largo?

- ¿Cuáles son las tres características con que mis conocidos califican mi manera de ser?

- ¿Inspiro a las personas que me rodean?

La imagen no es un traje costoso

Con la imagen que proyectas no me refiero a las apariencias o a lucir prendas costosas. Esa es otra de las falsas creencias que nos llevan a tomar un sendero que no nos pertenece.

Podrás vestir los trajes de la mejor marca o calzar zapatos recién traídos de una *boutique* parisina, pero si eres mala persona, te crees superior a los demás y no ayudas a quien lo necesite, en fin, si eres una mierda como ser humano, pasarás inadvertido.

Si tratas de ayudar e influir en las personas, no lo lograrás conduciendo un vehículo de $200 000. Al final, es el carisma de tu personalidad la gema que encantará a los otros, no la exhibición de bienes materiales.

Los empresarios más exitosos del mundo, como Jeff Bezos, dueño de Amazon, o Bill Gates, creador de Microsoft, son sencillos en el vestir: en las fotos los verás con una franela modesta o un pantalón como recién sacado del perchero de una tienda de segunda mano. Ellos saben que el respeto no se gana con la etiqueta de un traje. En su lugar, destinan gran parte de sus fortunas para obras benéficas.

Por supuesto que debes lucir presentable, aseado, con el cabello bien cortado y un aspecto pulcro. Pero el éxito no radica en lo que tienes materialmente ni en cómo luces, sino en lo que haces y en el legado que dejas a tu paso.

Rétate

Responde las tres preguntas. No te apresures en contestarlas todas en una misma sesión: el fin es encontrar respuestas auténticas.

Creencias: La Llorona que paraliza a los adultos

«Si oyes una voz en tu interior que dice: 'no puedes pintar', pinta por todos los medios y esa voz será silenciada»

Vincent Van Gogh

Aún me pone la piel de gallina el mito de La Llorona. Esa famosa leyenda latinoamericana en la que una madre de aspecto fantasmal deambula por carreteras oscuras en busca de su bebé perdido, es el terror de muchos conductores que viajan de madrugada por carreteras apartadas, y una de las historias de espanto que me sobresaltaba cuando era niña. ¡Y todavía me sigue asustando hoy!

Cuando adultos también creemos ciegamente en muchas leyendas como la de La Llorona. Ahora que gracias a los capítulos anteriores has comenzado a conocerte a ti mismo y tu propósito en la vida, quizá te mantienes estancado porque crees en fábulas basadas en el qué dirán y otros mitos cotidianos que, como el de La Llorona, te atemorizan y evitan que te arriesgues en pos de tus anhelos. Algunas frases que reflejan esas leyendas adultas son:

- «Como naciste pobre, vas a morir pobre».

- «Para triunfar, a juro tienes que lograr un título universitario».

- «Búscate un marido que te mantenga».

- «Las personas gordas no consiguen pareja».

- «El dinero llama dinero y yo, como no lo tengo, nunca podré ser millonario».

- «La mujer se queda en la casa criando a los niños mientras el hombre sale a la calle a buscar el pan».

Hay muchas creencias más de ese mismo tipo. ¡Me llevaría hasta la última página de este libro nombrarlas todas! Seguro a ti también te dominan creencias que gobiernan cada paso que das, como una partitura musical que debes seguir al pie de la letra para no perder el ritmo. Así ese ritmo no sea la música que te conmueva.

Estas creencias son conocidas como esquemas nucleares, definición planteada por el psiquiatra Aaron Beck y según la cual nuestros comportamientos se basan en pensamientos disfuncionales obtenidos durante la infancia y la adolescencia.

Cuando se está creando la personalidad, nuestro sistema cognitivo absorbe como una esponja las órdenes, prohibiciones, calificaciones, atribuciones o procedimientos provenientes del medio ambiente, ya sea nuestros padres o personas cuidadoras.

Tales mensajes se interiorizaron hasta formar y guiar nuestras conductas de adulto: el niño gordito que teme a formar parte del equipo de futbol, lo más seguro será que arrastre esa inseguridad al momento de buscar pareja, hacer amigos y, por supuesto, emprender.

Esquemas nucleares

Quizá tus padres te dijeron que nadie en la familia había logrado sacar adelante un negocio próspero, así que «si tú tienes ese sueño, mejor déjalo de lado y ponte a hacer lo que nosotros sabemos». Seguro esos consejos no fueron dados con mala intención y solo buscaban evitarte un dolor. No obstante, mientras más escuchaste ese mensaje, tu cerebro y tu subconsciente lo asumieron como una verdad casi bíblica.

El ejemplo de Howard Schultz

Yo crecí marcada por muchas creencias. «Tienes que casarte antes de los 30 o te vas a quedar solterona», era una de las frases que más escuché durante mi pubertad. ¡Imagínate! A mediados de la treintena de edad no me he casado. Según esa creencia que me inculcaron de joven, ya estoy destinada a vestir santos y dormir con una docena de gatos como única compañía.

Con un tiempo de distancia para reflexionar, ahora concluyo que esa creencia fue la que me empujó a tomar malas decisiones en el terreno amoroso y a compartir con personas que no me convenían. Compartí con parejas, no impulsada por un amor arrebatador, sino porque sentía que si no formaba un hogar defraudaría a mi familia y a mí misma.

Te doy otro ejemplo del poder limitante de las creencias: aún mantengo contacto con amistades y parientes de Santa Rosa de Cabal, muchos de los cuales tienen capacidades y talentos excepcionales, pero todavía siguen viviendo en la misma casa de la misma calle donde nacieron.

Cuando hablo por teléfono con algunos de ellos, me cuentan los dramas propios de un pueblo rural, que si mengana salió embarazada o que algún conocido ahora anda en malos pasos. Y continúan en la inmovilidad de siempre porque se guían por la creencia según la cual «como naciste pobre, morirás pobre».

Completamente falso. Según estudios, el 65 % de los actuales multimillonarios nacieron pobres y sufrieron grandes calamidades económicas durante su infancia y juventud. Ellos no lograron su fortuna gracias a una herencia, sino a partir de sus habilidades y sacrificios. Un ejemplo de esta afirmación es Howard Schultz, quien de niño vivía en Nueva York, en un edificio subsidiado por el gobierno.

Luego de perder una beca deportiva, pidió préstamos, trabajó de mesero y hasta vendió su sangre para costearse los estudios. ¿Y quién es hoy ese fulano Howard Schultz? Nada menos que el CEO de Starbucks y dueño de una fortuna de más de 3 billones de dólares.

Schultz superó las creencias negativas, que son el mayor obstáculo entre tú y tus sueños, esa pared que los otros han levantado dentro de tu mente y que te impide alcanzar lo que deseas.

Si sientes que eres un genio incomprendido porque estás en un trabajo insatisfactorio, que no te valoran o te sientes aplastado por una rutina que no te permite sacar lo mejor de ti, examina esas creencias que te frenan para desarrollar tu potencial.

¿Cómo lograrlo? Adoptando pensamientos positivos que te permitan recuperar la confianza en ti. O como propuso el psicólogo estadounidense William James: «Cree que merece la pena vivir la vida y esa creencia ayudará a crear el hecho».

Te sugiero decirte a ti mismo ciertas afirmaciones que consoliden tu autonomía y creencias positivas. Algunas de estas afirmaciones a las que dedicarás unos minutos al día podrían ser:

- Mi tiempo en este mundo es limitado, así que no lo malgastaré viviendo la vida de alguien distinto.

- No me quedaré estancado en el dogma de actuar como otros piensan que debería actuar.

- No dejaré que las opiniones de los demás acallen mi voz interior.

- Tendré el coraje para seguir lo que dicten mi mente, mi cuerpo y mi corazón.

Rétate

Usa un lenguaje proactivo cuanto te refieras a ti mismo y a las acciones que deseas tomar. En vez de decirte «No quiero seguir pobre», di «Ahora seré rico». Los mensajes autoemitidos con un tono positivo despiertan una sensación de logro que te impulsará a conseguir lo que desees.

Vivir pobre es tu decisión

Creemos tanto en estas creencias como de niños jurábamos que existía La Llorona: si crees en este espectro, en algún momento escucharás su llanto porque lo que pones en tu mente es lo mismo que recibirás.

No hay ninguna diferencia entre creer en La Llorona y en creer que, por haber nacido pobre, vivirás pobre hasta el fin de tus días. Provenir de un hogar de pocos recursos económicos no fue tu elección, pero superarte sí lo es. O como dijo el escritor británico Neil Richard Gaiman: «La gente imagina y cree: es esa creencia firme como la roca la que hace que las cosas sucedan».

Rétate

Para superar tus creencias limitantes primero debes identificarlas. Así que anota en un papel aquellas que crees gobiernan tus comportamientos. Luego, reconoce que esas creencias no formaban parte de ti cuando naciste ni durante tus primeros años de infancia.

Romper con las creencias no es salirse de control o incumplir las reglas. Hay una línea entre hacer lo que deseas y ser una persona que no le importa nada ni nadie. Vivimos en una sociedad con normas a obedecer.

La idea no es incumplirlas, sino empoderarte, enfocarte en las fortalezas que te diferencian del resto y sacar a relucir los regalos que guardas dentro de ti.

No te tomes las opiniones de manera personal

¡Cuán cierto el dicho según el cual «cada cabeza es un mundo»! El mejor ejemplo son las redes sociales, donde sobran las personas a la espera de cualquier opinión publicada por otro, para abalanzarse y criticar.

El temor al qué dirán ha impedido que muchos individuos con potencial para convertirse en *influencers*, desistan de incursionar en estas plataformas digitales. ¡Que ese no sea tu caso!

Rétate

Si no quieres ser juzgado, deja de juzgar a los otros. Enfócate en ti. No malgastes tus energías opinando sobre otras personas que, a fin de cuentas, nada tienen que ver con tus metas.

Cada persona sobre el planeta es diferente una de la otra, por eso no cometas el error de exponer tus ideas y esperar que el otro te comprenda totalmente: pocas veces las personas que te rodean coincidirán plenamente con tus ambiciones y proyectos.

A veces no es porque te rechacen y quieran llevarte la contraria, sino porque sus creencias, sentimientos, valores y formación son diferentes a las tuyas.

Adiós al *me*

Muchas personas se toman tan en serio las opiniones emitidas por terceros que hasta las asumen como propias. Si ese es tu caso, si te guías por lo que otros dicen o por la forma de vivir que otros te imponen, escapa ya de ese calabozo y empieza a hacer aquello que realmente amas. Vive según tus propias normas. Solo así evitarás convertirte en un esclavo tal como como yo lo fui en el pasado.

Por supuesto que hay que escuchar las consideraciones de los demás, pero debes evaluarlas según tu propio criterio y bajo la lupa de tu intuición para no asumirlas impulsivamente. Una buena práctica para seguir este consejo es quitarte de en medio y examinar desde fuera los juicios ajenos cuando alguien esté opinando sobre ti o tus proyectos. ¿Cómo lograrlo? Bórrale el término *me* a la frase que escuchas.

Por ejemplo, si tu pareja te grita o tu jefe te regaña, no te digas «mi pareja *me* gritó» o «mi jefe *me* regañó». Replantea la frase de la siguiente manera: «mi pareja gritó» o «mi pareja regañó». Al eliminar el *me*, tu cerebro asume la situación no como que te pasó a ti, y genera un distanciamiento que te permitirá valorar objetivamente aquella circunstancia.

Esta práctica también aplica cuando se trata de negocios. Si recibiste una negativa durante una reunión con un posible socio, el cerebro tiende a procesar el evento como «él *me* dijo que no». Al borrar el *me*, la frase quedaría: «él dijo que no». Es más impersonal y, te aseguro, no te lo tomarás tan a pecho.

Rétate

La próxima vez que escuches que alguien exprese una opinión sobre tu persona o la actividad que desempeñas, practica el ejercicio de quitarle el *me* a la frase. «Regañó» en lugar de «me regañó», por ejemplo. Así podrás enfrentar ese juicio o acción de manera objetiva.

Diferencia la semilla buena de la mala

Aprende a identificar a aquellas personas que te aconsejan para evitarte momentos de dolor, de quienes te critican y etiquetan para proyectar en ti sus propias limitaciones. Estos últimos individuos te recomendarán que permanezcas donde estás porque se resisten a la idea de que llegues a ser más próspero que ellos.

Por lo general, es gente con baja autoestima, que no se acepta a sí misma y a la que le da sarpullido en el alma ver que otras personas están siendo exitosas.

Lo que otras personas piensen de ti es su realidad, no la tuya. Eres el único caminante que puede recorrer tu propio camino. Si vives conforme a lo que los demás piensen de ti, te verás presionado a esconderte detrás de una máscara. Ten claro tu propósito, cuídalo y apréciaalo: valorar tu objetivo te fortalecerá para resistir la desaprobación de otros.

Rétate

Si tu entorno no apoya tus metas, realiza ajustes para crear un ambiente centrado en tu proyecto de vida. Sal de tu zona de confort, busca amistades afines a tu objetivo.

Por supuesto, la familia es imposible de cambiar por otra. ¡Tampoco es la idea! Pero analiza objetivamente su resistencia y busca maneras de comunicar tu propósito. Pero si al final del día no te comprenden, recuerda que el protagonista de tu vida eres tú. Nadie más. Ni tu madre, padre, pareja, hermana o hermano, jefe o amigos. Solo tú.

El aroma del queso es la voz de tu intuición

«La única cosa realmente
valiosa es la intuición»

Albert Einstein

Todos vimos cuando niños esas caricaturas de la televisión donde un ratón se orienta por el olor del queso para salir de la madriguera en busca de comida. Ya de adulta comprendí la sabiduría escondida detrás de esa conducta del ratón: para los seres humanos, la intuición es el aroma que nos impulsa a salir de la zona de confort en busca del alimento vital que nutrirá nuestra vida.

Persigue el aroma de tu intuición. Yo seguí el mandato de esa voz: pude haberme quedado dirigiendo cómodamente la compañía de trajes de baño que tanto éxito financiero me había dado, pero luego de explorar mi esencia y comprender mi propósito en la vida, emprendí la «loca» idea de construir un nuevo negocio para hacer las cosas que amaba, viajar por el mundo y enseñarles a otras personas a descubrir su potencial.

¿En qué se basó este emprendimiento? Identifiqué la enorme oportunidad que esperaba en línea al tomar modelos de negocio *offline* y convertirlos en *online* utilizando plataformas como sitios web, blogs e incluso el teléfono móvil. Con esta actividad viajé por el mundo mientras asesoraba la formación negocios geniales a lo largo y ancho de 60 países.

Los emprendedores a los que orienté ya podían trabajar desde cualquier parte del planeta, establecer su propio horario y ganar un montón de dinero impactando a otros con sus ideas. Mediante sistemas probados por los mejores *networkers* y empresas basadas en el hogar, me enfoqué en las redes sociales para construir marcas personales y convertir a mis clientes en personalidades influyentes dentro de su campo.

¡Sentía un gozo que nunca antes había experimentado! Supe que ya no habría vuelta atrás. Después de liberarme de las creencias que intenté seguir a toda costa desde pequeña (casarme de velo blanco para recorrer la senda nupcial y formar un hogar pa-ra-to-da-la-vi-da), me siento plenamente realizada capacitando a aquellos que quieren más, que desean ser prósperos económicamente, pero también servir a un nivel más alto, romper las cadenas de la rutina y vivir en abundancia.

Por si fuera poco, con este emprendimiento ¡hice mi primer millón de dólares! Si yo pude, tú también puedes. Solo tienes que estar dispuesto a oír la voz de tu intuición y a comprometerte con tus sueños.

No es una bola mágica

Según el Diccionario de la Real Academia Española, la intuición es «la facultad de comprender las cosas instantáneamente, sin necesidad de razonamiento». También es definida como un contacto espiritual con nuestra esencia y la llave que abre las puertas para actuar desde lo más recóndito y auténtico de nuestro ser.

Llamada también «olfato» o «corazonada», la intuición es, en esencia, un súbito chispazo. Es el *feeling* que te produce alguien o algo. Es más certeza que conocimiento.

No la confundas con tus habilidades, ni creas que la intuición son prejuicios o ideas preconcebidas que producen aversión hacia determinadas personas, ya sea por su origen étnico, religioso, cultural, social o aspecto físico. ¡Nada más lejos de lo que es la intuición!

La intuición tampoco es un don sobrenatural o contar con una bola de cristal mental que guiará tus decisiones: su poder está científicamente demostrado. Hace 40 años fue creado el Centro para el Estudio de la Intuición (CAI, en sus siglas en inglés), que busca estudiar esta cualidad bajo criterios científicos.

Howard Gardner, psicólogo, investigador y profesor de la Universidad de Harvard, explica que cada conocimiento interiorizado a partir de una experiencia crea un sedimento de sabiduría. Ese sedimento de sabiduría es la intuición, o lo que Gardner llama «inteligencia intuitiva», utilizada por agentes de bolsa, bomberos e inversionistas para tomar día a día decisiones importantes.

Sin embargo, estamos acostumbrados a decidir desde la lógica mental y el razonamiento, pero recuerda: esa lógica casi siempre está contaminada por las creencias limitantes que nos inculcaron desde niños. Dijo Albert Einstein que «la mente intuitiva es un regalo sagrado y la mente racional es un fiel sirviente. Hemos creado una sociedad que rinde honores al sirviente y ha olvidado al regalo». ¡Y lo dijo Einstein, una de las mentes más brillantes que ha pisado el planeta!

Aprende a escuchar ese «pálpito» o inesperado resplandor interno antes de que la maquinaria del razonamiento lo apague. O como bien dijo el matemático y físico francés Henri Poincaré: «Probamos por medio de la lógica, pero descubrimos por medio de la intuición».

Alinea mente, cuerpo y corazón

Atiende esa voz interna que te señala un camino. Confía en ella. No trates de desobedecer su mandato, que se levanta sobre tres elementos: mente (pensamientos), cuerpo (sensaciones) y corazón (emociones). ¡Te sorprenderán los resultados cuando se alinean estos tres factores!:

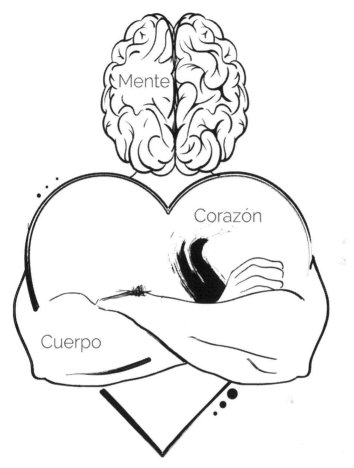

Mente

Corazón

Cuerpo

Pero tomar decisiones a partir de los dictámenes de uno solo de estos tres elementos sin considerar el resto, puede llevarte a cometer grandes errores.

Por ejemplo, un día conoces a una persona muy bien parecida, con rostro de dios griego y un cuerpo digno de la portada de una revista *fitness*. Tu cuerpo pide su caricia. Pero luego te enteras de que trata mal a las otras personas y que no le gusta trabajar.

Entonces tu mente y tu corazón entran en conflicto con el juicio genital que emitió el cuerpo a partir de la apariencia física. ¡Soberana decepción!

Por el contrario, seguro has conocido a personas trabajadoras y serviciales, pero no te hacen clic. No hay química o, como se dice coloquialmente, «no te da buena espina». De allí que la intuición sea corazón, mente y cuerpo puestos de acuerdo entre sí, no uno o dos de ellos decidiendo por su cuenta de manera aislada.

Escúchala cuando emprendas. Muchos *influencers* han ganado una fortuna dando consejos de belleza y como representantes de marcas, pero si tú piensas incursionar en ese campo para ganar dinero aunque esa no sea tu pasión, si entre cosméticos y champús está tu mente de empresario pero no tu corazón, habrás equivocado el rumbo. La intuición te señalará la ocupación que más te conviene y, créeme, al final te abrirá las puertas para alcanzar lo que deseas.

La intuición mejora con la práctica

Hay personas que creen que tienen mala intuición, y otras llegan al extremo de afirmar que carecen de ella. De seguro opinan así porque hace mucho dejaron de escucharla y, como una herramienta abandonada en un rincón, su intuición se llenó de moho y óxido. Pero te traigo buenas noticias: todos tenemos intuición. Solo hay que cultivarla y aprender a interpretar sus mensajes.

Daniel Goleman, autor del *bestseller* mundial *Inteligencia emocional,* publicado en 1995, recomienda alcanzar un estado mental de calma profunda para ser más receptivos a nuestro interior y al medio ambiente. Es una forma de autodescubrirse para darle rienda suelta a la intuición.

Un ejercicio que practico cuando me levanto de la cama es reservarme un momento de paz especialmente para mí. Muchas personas lo llaman meditación o relajación. En todo caso, es un momento en el que me escucho a mí misma, y reflexiono sobre las decisiones que tomaré ese día o las personas con las que he acordado encontrarme en las próximas horas.

Aprovecho ese instante para preguntarme: ¿es eso lo que me conviene?, ¿en qué me beneficiará o perjudicará tomar tal o cual decisión? ¿Estaré invirtiendo bien mi tiempo conociendo a determinada persona? Así asumo un estado consciente de las decisiones y evito actuar por simple reacción o sin un propósito definido.

Rétate

Ubica un espacio tranquilo donde por unos minutos conectar contigo mismo e identificar qué debes hacer para satisfacer tus necesidades y deseos. Deja que fluya la intuición e interpreta su mensaje.

Asertividad: aprende a decir NO

¿Te han presentado una idea de negocios que no termina de convencerte? ¿Recién conociste a una persona ante la que sientes que la relación no fluirá? Quizá racionalmente se trate de un negocio o de un sujeto convenientes, tu mente te pide que aceptes, pero en el fondo de ti algo no cuadra. Como esas señales de tráfico con luces fosforescentes que titilan en medio de la carretera, ¡esa es la intuición indicándote el camino a seguir!

Pero ya sea por tentaciones económicas, físicas, espirituales o por simple terquedad, igual te involucras aunque dentro de ti sabes que esa oferta no responde a tu propósito. A mí me ha pasado, lo confieso.

La baja autoestima que sufrí en un momento de mi vida, junto a la necesidad de ser aceptada y tenida en cuenta, me llevaron a involucrarme en situaciones que nada tenían que ver con mi esencia.

Cuántas veces debí decir NO a propuestas que no terminaban de convencerme! Me habría ahorrado muchos chascos.

En su libro *Aprende a decir no*, el escritor José Matas Crespo propone utilizar la asertividad como la mejor herramienta para enfrentar esos trances cuando mente, cuerpo y corazón no se ponen de acuerdo.

La asertividad es comunicar y defender activamente tus derechos. Es no mostrarte pasivo pero sin agredir a los demás. Asertividad es hablar claro para que los otros no decidan por ti.

En su libro, Matas Crespo da estrategias utilísimas para negarte cuando tu intuición así te lo recomienda:

- No te sientas culpable por decir «no».

- Dar prioridad a tus necesidades, opiniones y deseos no es una manifestación de egoísmo, sino de responsabilidad, autoestima y madurez.

- Decir «no» cuando lo consideres necesario es la mejor forma de valorarte a ti mismo.

- La confianza y el respeto entre dos personas se fortalecen cuando la relación no se basa en aceptar situaciones para mantener contento al otro.

- Si ejerces tu derecho a decir «no», abrirás el canal para una comunicación más fiable, veraz y fluida.

Rétate

No te sientas obligado a dar una respuesta inmediata a una propuesta que te hagan, y busca más detalles para no terminar asumiendo compromisos de los que luego te podrías arrepentir.

Eres imperfectamente perfecto

«La perfección es muerte;
la imperfección es el arte»

Manuel Vicent

A mi prima Karem le generaba mucha ansiedad su sobrepeso. Utilizó todos los recursos disponibles para combatir esos kilos de más que la hacían sentir inferior a las chicas delgadas, desde dietas extremas (que si la del ayuno intermitente o la de consumir solo líquidos durante las noches de luna llena), extenuantes rutinas de ejercicios, y en cierta oportunidad hasta pensó en someterse a una drástica cirugía para bajar de peso.

Como ella, son muchas las mujeres inconformes con su aspecto físico. Según estudios, solo el 4 % de las mujeres se consideran bellas, y apenas el 11 % de las niñas a nivel mundial se sienten cómodas describiéndose a sí mismas como hermosas. Mientras el 72 % de las chicas siente una gran presión para ser bellas, el 80 % de las mujeres coincide en que cada persona tiene algo hermoso, pero no ve su propia belleza.

Igual les pasa a los caballeros. Es sorprendente la cantidad de hombres que diariamente se agolpa en los gimnasios para fortalecer sus músculos o ensanchar sus pechos al mejor estilo Dwayne «La Roca» Johnson. Aplaudo ese interés por llevar una vida sana y lucir un cuerpo conforme a las aspiraciones personales, pero cuando el frenesí por alcanzar los cánones estéticos impuestos por la sociedad empieza a agrietar tu autoestima, algo anda mal.

Karem lo comprendió un día. Entendió que el valor habitaba dentro de ella, independientemente de su talla corporal. Supo que amándose como era podía cambiar su vida y las de las personas a su alrededor. Hoy, Karem Murillo Grajales (@Karemgrajales_) es una modelo plus colombiana reconocida internacionalmente y dueña de una muy próspera compañía. Hoy Karem grita orgullosa en su perfil de Instagram: «¡Soy talla grande y me encanta!».

Más allá de su éxito económico, Karem es una inspiración para muchas mujeres que, a través de ella, descubren que pueden lograr sus sueños siendo quienes son.

 ## Rétate

No establezcas para ti el estándar con el que se rigen las demás personas. Ese camino solo te llevará a ser uno más del montón. Por el contrario, reconoce que tu perfecta imperfección impactará positivamente la vida de los otros.

¿Cuál es tu realidad?

Alrededor de 250 millones de espermatozoides lucharon contigo para por obtener el puesto que tú finalmente lograste. ¡Imagínate!

De esa asombrosa cantidad de competidores que suman más de dos tercios de la actual población de Estados Unidos, solo uno alcanzó la meta. Y ese eres tú. Único, exclusivo, extraordinario, una creación divina. Nunca habrá otra persona exactamente igual a ti. Todo tú es como una huella dactilar, completamente diferente una de otra.

No se trata de ser una modelo escultural como las que adornan las portadas de las revistas, ni de lucir el rostro y el cuerpo de una estrella de cine: yo soy de baja estatura, ¡apenas un metro sesenta centímetros! Uso lentes de contacto y anteojos para no andar golpeando mi cabeza contra las paredes. Sufro de manchas en la piel, celulitis, estrías... Pero todas esas imperfecciones no son obstáculos para impactar a otros con mi fuerza y poder interno.

Lo sé: se dice fácil. No aseguro que lo sea, pero tampoco se trata de una misión imposible. Hay tres pasos que te invito a dar para encantar al mundo con la magia irrepetible de tu personalidad:

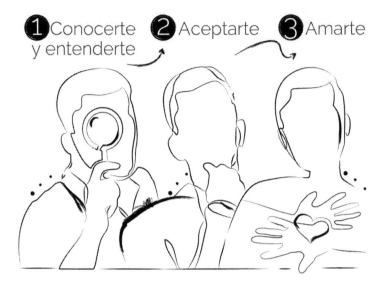

1) Conocerte y entenderte

Para conocerte y entenderte ya te adelanté algunas estrategias en el capítulo «Descubre quién eres y tu propósito». Pero conocerte es un proceso que nunca termina: el tiempo y las experiencias modifican tu manera de ser, así que examinarte a ti mismo es una tarea que debes practicar periódicamente.

Un ejercicio que siempre aconsejo es reflexionar en quién eres pero como si se tratase de otra persona: imagina que estás parado ante otro individuo e identifica sus cualidades y fortalezas. Piensa sobre aquellas cosas buenas que podrías decir sobre ese individuo, elogia sus virtudes y utilízalas como cimientos sobre los cuales levantar confianza y creencias positivas.

Pero identifica también los defectos. No aceptar que se tienen debilidades es un estado de negación que impide buscar salidas para superar tales debilidades. Debido a ciertas condiciones físicas, ya sea estatura, peso corporal, por ser muy joven o muy mayor, muchas personas piensan que el mundo no las va a tratar como desean. Pero ser la mejor versión de ti mismo también involucra asumir de frente tus defectos para ponerlos a trabajar a tu favor.

Ahora, reconoce que esa persona que has venido analizando eres tú, un ser excepcional con mucho que ofrecer al mundo. Finalmente, recupera aquellos aspectos positivos de tu personalidad y desecha los que no funcionen para tus fines. Para complementar este ejercicio, sugiero plantearte a ti mismo las preguntas que recomienda el psicólogo organizacional Juan Armando Corbin para un profundo conocimiento personal:

- ¿Estás haciendo realmente lo que quieres, o simplemente te conformas con lo que haces?

- ¿Te consideras una persona emocionalmente inteligente?

- ¿Podrías decir tres virtudes que posees?

- ¿Podrías decir tres defectos que posees?

- ¿Qué crees que gusta más de ti a los demás?

- ¿Qué crees que gusta menos de ti a los demás?

- ¿Tienes miedo a la incertidumbre?

- ¿Qué haces diferente de las demás personas?
- ¿Cómo te gustaría estar dentro de 10 años?
- ¿Qué te hace sentir orgulloso de ti mismo?
- ¿Te arrepientes de algo en esta vida?
- Del 1 al 10, ¿te consideras feliz?
- ¿Qué cambiarías de este mundo si pudieras?
- ¿Cuál es el estado de ánimo que menos te gusta?
- ¿Qué actitudes te hacen desconfiar de los demás?
- ¿Qué áreas de tu vida te gustaría mejorar?
- ¿Cuál sería un buen título para tu autobiografía?
- ¿Cuál es tu recuerdo de infancia más vívido?

Rétate

Haz una lista de los «defectos» de tu personalidad y enfócate en alinearlos en función a tus metas ¿Eres terco? Convierte esa terquedad en tenacidad ¿Eres obsesivo? Allí puede estar la clave para persistir en tu propósito. ¿Te preocupas demasiado? Convierte esa preocupación en previsiones para anticipar y enfrentar posibles crisis.

2) Aceptarte

Saber y entender quién eres te abrirán las puertas para aceptarte. Como seres humanos, todos tenemos defectos o carecemos de ciertas habilidades. Acepta esas carencias porque también son parte de ti: te guste o no, tú también eres tus imperfecciones.

Cada uno de nosotros representa el yin y el yang, esos dos conceptos del taoísmo que expresan la dualidad presente en todo lo que existe en el universo. Según su simbología, nada existe en absoluta pureza; no obstante, al combinarse suman un círculo ideal. Perfectamente imperfecto. Así que cuando reconoces tu yin y tu yan, eres feliz contigo mismo y aceptas tus luces pero también tus sombras, las críticas provenientes del entorno no te afectarán.

No obstante, ¿cuántas veces las opiniones de los demás han destrozado tus sueños?, ¿lo vas a seguir permitiendo? Ya basta. Asúmete con tus defectos y ¡que te encante el resultado! Muchas personalidades exitosas validan esta afirmación: resulta imposible imaginar que a Meryl Streep, la actriz con más nominaciones al premio Oscar, le negaran un papel por su aspecto físico. ¡Pero así fue! En 1975 se presentó al *casting* de *King Kong*. El productor de la película, Dino De Laurentis, exclamó al verla: «¡¿Por qué me trajeron esta cosa tan fea?!». «Lamento no ser lo suficientemente guapa como para estar con King Kong», respondió la admirable Meryl.

La también oscarizada y ganadora del Emmy por su papel en la divertidísima serie de televisión *Mom*, Allison Janney, cuenta que su primer agente le dijo que «solo conseguiría papeles de extraterrestre o lesbiana» debido a su estatura de casi dos metros. Y Sarah Jessica Parker, protagonista de la exitosa serie *Sex and the City* e icono de la moda, en cierta oportunidad le recomendaron someterse a una rinoplastia si deseaba triunfar en Hollywood.

Pero todas ellas persistieron hasta ser lo que hoy son. Pese a sus imperfecciones, se asumieron como personas únicas y capaces de proyectar al mundo su poder y su fuerza. Esa es la clave para asumirte imperfectamente perfecto.

Rétate

Escribir un diario personal es una herramienta útil para conocerte y comprenderte. No es solo cosa de chicas o de adolescentes: llevando un diario toda persona puede procesar momentos intensos, ordenar los pensamientos y emociones.

3) Amarte

¡Todos deseamos tener un gran amor! Tomarnos de la mano de esa persona para bromear, confesarle nuestros miedos, que nos comprenda y acompañe en la lucha en pos de los sueños. Y ya todos contamos con esa persona ¿No lo crees? Si piensas que aún no la conoces, pues yo me voy a encargar de presentártela ¡en este mismo momento! Levántate y toma un espejo. Ahí está ¿La ves? ¡Ese es el gran amor de tu vida!

Tu gran amor no debe ser otra persona, sino tú. Buscamos el afecto fuera de nosotros, pero nadie podrá llenar el vacío que tú mismo eres responsable de llenar. Como reza el viejo y sabio dicho: si quieres que te amen como lo mereces, debes empezar por amarte a ti.

Con cuidado de no caer en actitudes ególatras o narcisistas, enamórate de ti. Así sufras de sobrepeso, celulitis, estrías o calvicie, acéptate y ámate de esa manera. Y como en toda relación amorosa, también te debes respeto, paciencia, cuidado, disciplina, honestidad, confianza y entrega.

«Hay algo peor que la muerte, peor que el sufrimiento, y es cuando uno pierde el amor propio», dijo con mucho acierto el escritor húngaro Sándor Márai. Así que aprende a quererte como quieres que te quieran.

Nunca trates de esconderte. Muy por el contrario, ¡muestra amorosamente tanto tus carencias como tus virtudes al mundo! Recuerda el ejemplo de mi prima Karem, o el de muchos *influencers* cuyas imperfecciones son precisamente sus atractivos para sumar legiones de seguidores y mucha interacción en las redes sociales.

Rétate

Conecta contigo mismo parándote ante un espejo y mirándote a los ojos durante 5 minutos. Mientras te miras, háblate con cariño y repítete las siguientes afirmaciones: «Yo puedo», «Yo soy suficiente», «Yo soy capaz de alcanzar lo que deseo».

Para encender tu amor propio

Acá te dejo algunas excelentes prácticas para conocerte, entenderte, aceptarte y, finalmente, amarte:

- Toma conciencia sobre lo que opinas de ti mismo, si te desvalorizas o juzgas más de lo debido. Observa esas críticas negativas y rectifícalas. El cambio y la transformación provienen de la aceptación, no del rechazo.

- Mímate. Pregúntate qué necesitas o qué te haría bien, y sal a satisfacer esas necesidades y deseos. No tiene que ser algo del otro mundo, quizá actividades como montar en bicicleta, visitar un spa, pasear por el parque o bailar sean los regalos que merece recibir la persona que más amas: tú.

- Conecta con tu niño interno y con esa época en que eras plenamente feliz, sin prejuicios y obsesiones sobre ti.

- Recuerda las crisis que superaste en el pasado, y reconoce que tienes el poder para enfrentar iguales o mayores adversidades en el futuro.

- Asume riesgos. Vence tus creencias limitantes exponiéndote a situaciones que demuestren tu poder, ya sea hablar con desconocidos o practicar una actividad que vienes evitando.

- No olvides nunca las palabras de Robin S. Sharma, conferencista y autor del *bestseller El monje que vendió su Ferrari*: «Confía en ti mismo. Crea el tipo de vida que quieres vivir. Aprovecha el máximo de ti encendiendo las chispas interiores para que sean llamas de realización».

Rétate

Amarte a ti mismo se manifiesta mediante la práctica de hábitos positivos como comer con pausa y sanamente, dormir entre 7 y 8 horas al día, y ejercitarse con frecuencia.

Si piensas
que ya lo lograste,
lo lograrás

«Actuar sin pensar es como
disparar sin apuntar»

B. C. Forbes

Tus pensamientos son poderosos. Son los capitanes del barco sobre el que navegan tus sentimientos y acciones. Sin embargo, el ruido de la vida moderna, los compromisos y las presiones laborales o de pareja nos mantienen atrapados dentro un torbellino de responsabilidades que impiden detenernos a pensar. ¿Cuál es el resultado de ir por la vida como autómatas? Actuar en modo piloto automático nos hace perder nuestra esencia y genuino propósito en la vida.

Las acciones para alcanzar tus sueños se levantan sobre los pensamientos enfocados en el objetivo. Así que antes de entrar en acción, te invito a utilizar dos herramientas muy valiosas para alcanzar tus sueños: imaginar y cultivar pensamientos positivos.

La Ley de Atracción

Tu objetivo en este capítulo será encender tus pensamientos y ponerlos a trabajar a tu favor, y no tú para ellos porque «mientras más alimentes tu mente con pensamientos positivos, más atraerás grandes cosas a tu vida», dijo con conocimiento de causa el político norteamericano Roy T. Bennett.

Así opera la Ley de Atracción. Según esta ley, los pensamientos, ya sean conscientes o inconscientes, son energía que devuelve una onda energética parecida a la emitida: pensar que ya disfrutas de lo deseado fortalece la posibilidad de conseguirlo. Los estudiosos de esta teoría apuntan que deben darse cuatro fases para controlar esa energía vital que parte de nuestros pensamientos:

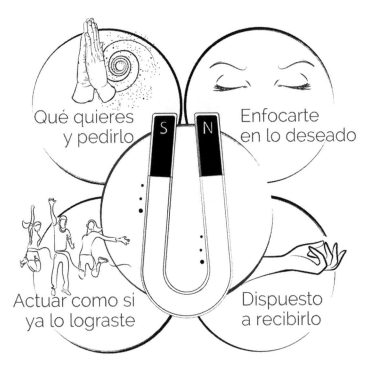

Qué quieres
y pedirlo

Enfocarte
en lo deseado

Actuar como si
ya lo lograste

Dispuesto
a recibirlo

- Saber qué quieres y pedirlo al universo.

- Enfocar los pensamientos sobre lo deseado, siempre con una actitud optimista, entusiasta y agradecida.

- Actuar como si ya hubieras logrado lo que deseas.

- Permanecer abierto a recibirlo.

La vida gira en torno a lo que te enfocas. Pero si te mantienes concentrado en los problemas y las carencias, en las deudas por pagar, en un mismo «no tengo, no tengo», eso es lo que recibirás.

Por el contrario, si te enfocas en los milagros que tienes alrededor y que muchas veces pasan inadvertidos, que estás vivo, que gozas de talentos y habilidades que te diferencian del resto, y que tienes gente que te quiere y apoya, abrirás las puertas de una energía positiva que conducirá a que más cosas positivas entren a tu vida.

Visualiza que ya lo lograste

Tu mente es tu principal aliado. Asegúrate de que trabaje para ti en función de lo que buscas. Como el subconsciente no distingue entre lo que sucede alrededor y lo que nosotros pensamos que sucede, una táctica eficaz es visualizar tus metas y pensar en ellas como si ya las hubieses alcanzado. Es decir, sigue la acertada frase: fingirlo hasta conseguirlo.

No ahorres en detalles al momento de imaginar: si quieres un carro nuevo, ¡decide el modelo y color que te gustaría conducir e imagina que recorres la ciudad en él!, siente en tus manos la tersura del volante, repasa sus atributos mecánicos, o las posibilidades de pago como si ya tuvieras el dinero en el banco para comprarlo.

Si quieres montar una floristería, visualiza el tipo de local donde te gustaría instalarla y hasta el color de los muebles y de la alfombra. O si ambicionas ser un actor o cantante pero te da miedo presentarte ante una audiencia, actúa frente al espejo una interpretación fenomenal y muy pronto te estarás presentando con mucha más confianza. Y esa confianza apuntalará tu talento en lo que se conoce como un círculo virtuoso:

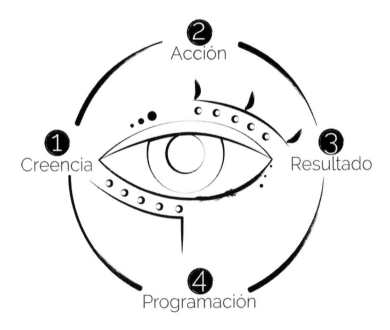

1) **Creencia:** la convicción de que sí es posible.

2) **Acción:** la ejecución de la creencia.

3) **Resultado:** los beneficios obtenidos tras actuar.

4) **Programación:** el esquema mental que asimila la mente para repetir a futuro el proceso.

Rétate

Ya sea cuando estés en una cola de tráfico o en la ducha, dedica varios minutos a imaginar que ya alcanzaste tu objetivo. De esta manera estarás irradiando al universo energías positivas que finalmente te acercarán a tu propósito.

Tres preguntas fundamentales

No son las respuestas sino las preguntas que te hagas a ti mismo el motor que te llevará al éxito. Por eso ahora te planteo tres interrogantes que te ayudarán a superar los pensamientos negativos y las creencias que te mantienen maniatado para perseguir tu propósito:

1) ¿Qué dirán de mí las personas que asistan a mi funeral?

2) ¿Qué es lo más importante en mi vida y qué estoy dispuesto a hacer para demostrarlo hoy?

3) ¿Por qué estoy agradecido hoy?

Desmenucemos estas preguntas una a una:

1) ¿Qué dirán de mí las personas en mi funeral?

Las dos fechas más importantes en la vida de toda persona son el día cuando nació y aquel en que morirá. En qué inviertes tu tiempo entre estos dos acontecimientos determinará tu legado.

Qué dirán de ti las personas que asistan a tu funeral es una de las preguntas más poderosas que te puedes hacer: si no te gusta la respuesta, es momento de empezar a cambiar.

No hablo de vivir tu vida para complacer a los demás. Por el contrario, hablo de vivir la vida con tu verdad y sin desviarte del rumbo que elegiste. Cuando eres genuino, quienes te rodean verán en ti esa luz que los inspirará para, sin perder ellos mismos su propia autenticidad, seguir tus pasos.

2) ¿Qué es lo más importante en mi vida y qué estoy dispuesto a hacer para demostrarlo hoy?

Muchas personas aseguran que la familia es lo más importante en sus vidas, pero en vez de pasar tiempo de calidad con sus seres amados, prefieren irse de fiesta cada fin de semana o trabajan hasta la madrugada y las horas extras que les sean posibles.

Otros afirman que su salud es lo más importante, pero se fuman dos cajetillas de cigarros al día, consumen comida chatarra en el desayuno, almuerzo y cena, exageran con el consumo de alcohol, no practican ejercicios físicos ni duermen lo suficiente. Ahí hay una incoherencia entre lo que consideran más importante y el lugar que dan a ese aspecto en sus vidas.

También hay quienes dicen que su prioridad en la vida es salir adelante económicamente, pero no mueven ni el dedo chiquito del pie para conseguirlo o se rinden al primer obstáculo. De allí la importancia de responder correctamente esta pregunta: ¿qué es lo más importante en mi vida y qué estoy dispuesto a hacer para demostrarlo hoy?

Y hago énfasis en la palabra *hoy*: no mañana o luego de ver todos los capítulos de tu serie de televisión favorita. ¡Es hoy! Ahora. En este preciso instante. El presente es nuestra única certeza. El ayer ya pasó y el mañana es solo una posibilidad.

3) ¿Por qué estoy agradecido hoy?

Expresar gratitud te mantendrá enfocado en generar pensamientos positivos. En este punto doy un paso adelante para ponerme como ejemplo: todo lo que he hecho en la vida no perseguía amasar una gran fortuna ni darme los gustos exquisitos. Siempre actué desde el agradecimiento para compensar a mis padres por tantos sacrificios que me ayudaron a ser quien soy.

La felicidad comienza cuando estás agradecido por lo que tienes hoy. Y con «lo que tienes hoy» no me refiero a una cuenta bancaria con muchos ceros, una casa en la playa o un yate esperándote a la orilla de un embarcadero. Es apreciar lo poco o lo mucho de que dispongas en este momento: valorar tu presente te dará el aliento y las fuerzas para aspirar a nuevas bendiciones.

A veces pensamos que, como no tenemos, no podemos dar. Es todo lo contrario: mediante la práctica de la gratitud también puedes ayudar a otros a mantenerse positivos. Una palabra de aliento, un fuerte apretón de manos o un abrazo son prácticas que no cuestan nada y que alimentarán tu disposición al agradecimiento.

 ## Rétate

Tómate un momento para reflexionar en las tres preguntas expuestas. Eso sí: recuerda responderlas alineando siempre tu mente, cuerpo y corazón.

¡Ponte en movimiento!

«Nuestra naturaleza está en la acción. El reposo presagia la muerte»

Séneca

Sin acciones, los sueños seguirán siendo sueños. Es solo fantasear. Las personas que piensan e imaginan en lo que podría llegar a ser sus vidas pero no toman acciones, jamás obtendrán resultados. Son la encarnación humana de la frase «perro que ladra no muerde». Así que luego de nutrir tu mente con pensamientos positivos, el paso siguiente es saltar del sofá y ponerte en acción.

Ser un emprendedor es vivir unos pocos años de tu vida como nadie quiere, para luego disfrutar del resto de tu vida como nadie puede. Para vivir rico necesitas trabajar duro, tener objetivos claros y ser persistente al momento de seguir los siguientes pasos:

1) **Fórmate.**

2) **Define metas realistas y graduales.**

3) **Traza un plan.**

4) **Ejecuta.**

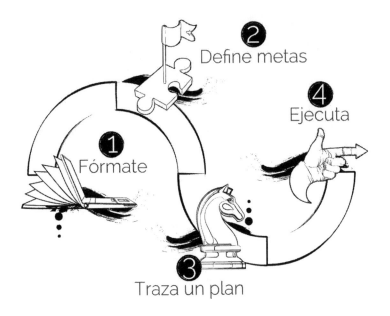

1) Fórmate

Es la primera etapa que debes cumplir al momento de emprender. Si quieres trabajar duro pero inteligentemente, primero domina el conocimiento y las habilidades necesarias para sobresalir dentro de tu campo. No hay margen para improvisaciones.

Son infinitas las fuentes de conocimiento que hay hoy en día. Internet brinda miles de recursos para aprender cualquier tema.

Puedes comenzar por leer *ebooks*, libros y tomar cursos en línea, así como investigar cuáles estrategias aplicaron otras personas para ser exitosas.

Rétate

Participa en seminarios, talleres y conferencias presenciales; y, de ser posible, recurre a un coach que te ayude a identificar tus limitaciones y potencialidades.

2) Define metas realistas y graduales

Establecer metas es el combustible que pondrá en marcha tu motor. En 1953 la Universidad de Yale formuló tres preguntas a un grupo de estudiantes: 1) ¿Has definido tus metas?, 2) ¿Las has escrito?, y 3) ¿Tienes algún plan para lograrlas? El 84 % de los estudiantes no tenía definida ninguna meta, el 13 % afirmó que sí pero no la había escrito, y el 3 % la había escrito y hasta tenía preparado un plan de acción para alcanzarla.

20 años después este estudio reveló que el grupo del 13 % con objetivos definidos aunque no escritos, tenía el doble de ingresos que el grupo que carecía de metas. Lo más asombroso fue el siguiente descubrimiento: el 3 % que había escrito sus objetivos ganaba ¡diez veces más que los otros estudiantes que participaron en el estudio!

No obstante, debes definir metas realistas y graduales. Soñar no es delirar. Tampoco hay atajos. Una meta de $100 000 anuales no es realista si estás comenzando un negocio y al día de hoy no dominas las habilidades y los recursos para hacerlo prosperar.

Esto significa que puedes comenzar fijándote una meta de $2 000 de ingresos en 30 días, dependiendo de tu situación y el negocio que desarrollas, e ir incrementando la suma a medida que avanzas en tu plan de trabajo. El S.M.A.R.T es un método que siempre recomiendo para definir las metas. Por sus siglas en inglés significa que cada meta debe de ser:

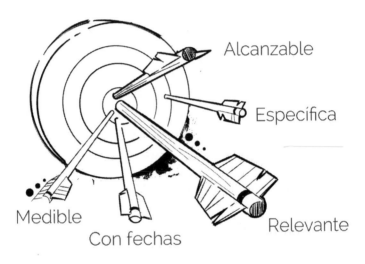

- **Específica:** olvídate de las metas genéricas.

- **Medible:** es importante que sea medible para luego poder evaluarla.

- **Alcanzable:** realista. ¡Nada de sueños absurdos como mudarte en tres meses a una mansión!

- **Relevante:** que impacte tu propósito de vida.

- **Con fechas:** definida en el tiempo para alcanzar cada objetivo a corto, mediano y largo plazo.

Rétate

Jerarquiza tus metas y decide cuáles son más importantes o con menores límites de tiempo. Así evitarás sentirse agobiado y podrás cumplir con ellas según su orden de importancia.

3) Traza un plan

Cada historia del éxito ha comenzado con un plan o mapa que guía los pasos hacia el logro. Necesitas planificar paso a paso cómo conseguir cada uno de tus objetivos y metas. Si no lo haces, seguramente te decepcionarás, te desviarás fácilmente del objetivo o estarás dando tumbos sin dirección.

La idea es fijar un objetivo y dividirlo en metas concretas que puedas ir alcanzando gradualmente en un plazo determinado.

¿Quieres montar una empresa? Establece un día para elegir el nombre. Al día siguiente, sal a registrar la firma comercial, luego contrata a un diseñador gráfico para crear la identidad corporativa… y así un cronograma de actividades que serán como los peldaños que poco a poco irás subiendo y para los que siempre debes tener en claro los siguientes aspectos:

- Qué acción o cambio buscas.

- Quién llevará a cabo cada paso.

- Cuándo se realizará.

- Qué recursos se necesitan para lograrlo.

Rétate

Tu plan debe abarcar los pasos que darás para conquistar tus metas. Planifica cada día, semana, mes y año, con objetivos claros y medibles. Pase lo que pase, digan lo que te digan, ¡tú sigue adelante!

4) Ejecuta

¡Es hora de poner el plan en marcha! Lo que piensas, lo que sabes o lo que crees, no se concretarán en resultados si no ejecutas. Luego de identificar tus metas, da los pasos necesarios para materializar el objetivo.

Y cuando has dado un paso, ¿qué es lo que sigue? Dar otro paso más. Cuando te das cuenta, ya recorriste un trecho que te ha llevado mucho más delante de donde estabas cuando comenzaste.

Rétate

Evaluar y rectificar es crucial para alcanzar el éxito. Si las acciones que realizas no te están acercando a tu objetivo, reformula lo que estés haciendo.

Un escalón a la vez

Hay que dejar atrás la llamada filosofía del microondas. ¿En qué consiste esta filosofía? En que los resultados se obtienen rápidamente y de manera sencilla, como en el caso del microondas que, con apenas introducir el alimento dentro del aparato y apretar un par de botones, al cabo de unos pocos minutos ya tienes en tus manos la cena preparada.

Pero los cambios de 180 grados no se obtienen en minutos ni días. Yo tardé dos años en levantar la empresa de trajes de baño. En ese momento me encontraba muy impaciente por alcanzar la cima, pero comprendí que las escaleras se suben un escalón a la vez.

Puedes aspirar a ganar un millón de dólares al año, pero esa cantidad de dinero no caerá en tus manos de un día para otro. Tus sueños pueden ser inmensos, y es bueno que así sean, pero debes darles tiempo para que vayan madurando como un buen vino.

Ten una actitud de aprendiz

Entrar al juego te llenará de satisfacción por las metas alcanzadas, pero también te expondrá a fracasos eventuales. No te desanimes por las nubes que puedan aparecer durante el viaje. Asume las dificultades como un reto a vencer, como desafíos que te ayudarán a adquirir conocimientos y a crecer.

Una actitud que te recomiendo para enfrentar los problemas es acercarte a ellos como si fueras un aprendiz. No caigas en el error de llegar como quien sabe todas las respuestas. Si tú te ves como un sabelotodo, cada derrota debilitará tu autoestima y empezarás a pensar que no eres tan excelente como suponías.

Considérate como un discípulo abierto a saber un poquito más cada día. Si abordas los desafíos desde el asiento de un alumno dispuesto a aprender de las experiencias anotadas sobre la pizarra de la vida, dejarás de lado la presión por probar quién eres porque sabes que atraviesas un proceso de crecimiento que nunca termina. Te sentirás más relajado y los errores que cometas no te vencerán.

Mientras vivas estarás pasando de una dificultad a la siguiente ¡Aprender a resolverlas es uno de los mayores atractivos de vivir! Los problemas no existen para detenerte. ¡Existen para que los resuelvas! Recuerda las palabras del genio Pablo Picasso: «Siempre estoy haciendo cosas que no puedo hacer. Así es como consigo hacerlas».

Rétate

Apunta en una lista aspectos de tu vida en que deseas mejorar e incluye no solo asuntos materiales, sino también conseguir pareja o mejorar tu relación actual ¡No hay límites para soñar!

¿Qué te llevas?

«El futuro nos tortura y el pasado nos encadena. He ahí por qué se nos escapa el presente»

Gustave Flaubert

¿Recuerdas que páginas atrás te recomendé apuntar en una libreta tus sueños? ¡Pues ahora es el momento para recibir las bendiciones que siempre has esperado! A mí ahora me toca recoger lo que sembré.

Hoy soy la mujer que siempre quise ser, una Angee plena, hecha a mi medida, la empresaria exitosa y enfocada en lo que la hace feliz, la oradora de temas de crecimiento personal, salud, bienestar y redes sociales, que se concentra en ayudar a otros a explotar al máximo su potencial. Atrás, muy atrás, quedó aquella mujer prisionera de sus creencias y sus miedos.

¡Tú también puedes lograrlo! Piensa en el universo como un catálogo con los productos de una tienda por departamentos. Si hay artículos que crees merecer, lucha para obtenerlos pagando el precio del amor a ti mismo. Elige los artículos, ya sean materiales o espirituales, que siempre deseaste, arriésgate a recorrer los diferentes pasillos de la tienda por departamentos que es la vida, y llena con tus logros el carrito de compras.

Saborea la vida

La vida es corta, inesperada, súbita. Nadie sabe qué pasará mañana. Sé de personas que durante toda su existencia trabajaron al mismo tiempo en tres o cuatro empleos porque esperaban retirarse con cierta tranquilidad económica, pero ese plácido retiro nunca llegó porque murieron antes. Y todo el capital que reunieron con tanto esfuerzo ahora lo disfruta alguien más. Recuerda que el objetivo de este libro no es que mueras rico. ¡Es que vivas rico!

No dejes que las prisas y el estrés te impidan gozar tu presente y lo que has conseguido hasta el momento. O, como expuso con sabiduría Buda Gautama, «No te detengas en el pasado, no sueñes con el futuro, concentra la mente en el presente». Divido ese consejo en tres grandes NO que sugiero apliques en tu día a día:

- No permitas que la ansiedad de la lucha te dificulte disfrutar del cálido milagro de estar vivo.

- No sacrifiques el hoy por concentrarte en el mañana.

- No dejes que la vida pase delante de tus ojos sin que su belleza te conmueva.

De joven leí el poema *Instantes*, atribuido al escritor argentino Jorge Luis Borges, pero cuya verdadera autoría sigue en discusión. En todo caso, lo importante es el profundo sentido de esos versos que hasta hoy siguen clavados en mi alma y que tan bien resumen lo que quiero decirte en este capítulo.

A veces olvidé su significado, lo admito, por eso cada cierto tiempo vuelvo a este poema para recordar la importancia de paladear sorbo a sorbo el presente. Te invito a que tú también adoptes estos versos como un credo personal:

Si pudiera vivir nuevamente mi vida,
en la próxima trataría de cometer más errores.
No intentaría ser tan perfecto, me relajaría más.
Sería más tonto de lo que he sido.
De hecho, tomaría muy pocas cosas con seriedad.
Sería menos higiénico.
Correría más riesgos,
haría más viajes,
contemplaría más atardeceres,
subiría más montañas, nadaría más ríos.
Iría a más lugares a donde nunca he ido,
comería más helados y menos habas,
tendría más problemas reales y menos imaginarios.

Yo fui una de esas personas que vivió sensata
y prolíficamente cada minuto de su vida;
claro que tuve momentos de alegría.
Pero si pudiera volver atrás trataría
de tener solamente buenos momentos.

Por si no lo saben, de eso está hecha la vida,
solo de momentos; no te pierdas el ahora.

Yo era uno de esos que nunca
iban a ninguna parte sin un termómetro,
una bolsa de agua caliente,
un paraguas y un paracaídas;
si pudiera volver a vivir, viajaría más liviano.

Si pudiera volver a vivir
comenzaría a andar descalzo a principios
de la primavera
y seguiría descalzo hasta concluir el otoño.
Daría más vueltas en calesita,
contemplaría más amaneceres,
y jugaría con más niños,
si tuviera otra vez vida por delante.

Pero ya ven, tengo 85 años...
y sé que me estoy muriendo.

Claro que es vital fijarse metas y pensar en el mañana, saber para dónde vas y qué quieres. Del pasado extrajimos las experiencias que nos han hecho aprender y a ser lo que somos, y en el futuro esperan los logros que nos motivan a seguir adelante. De todo eso te he venido hablando en estas páginas. Pero no te instales exclusivamente en el futuro.

Tu legado está en el presente

¿Qué te llevas? ¿Una vida plena y satisfactoria? Pregúntate también qué dejas a los demás en tu día a día. Están muy equivocados quienes piensan que el legado es lo que heredarás a otros cuando mueras. ¡No, señoras y señores! El legado se construye y trasmite minuto a minuto.

Por supuesto que para los tuyos deseas seguridad y estabilidad financiera, pero piensa también en tu legado más allá de los asuntos materiales. Si tienes pareja, ¿le dejas una sonrisa en su boca cada vez que comparten juntos?

Si manejas una empresa, ¿cómo esa compañía contribuye hoy para hacer de este un mundo mejor? Y a tus hijos, ¿qué enseñanzas les estás entregando para que sean personas libres y con una existencia plena?

Rétate

Hazte esta dura pregunta: «si muriese hoy, ¿estaría satisfecho con la vida que he vivido?». De ser negativa tu respuesta, replantéate en este mismo momento aquellas situaciones insatisfactorias y busca alternativas para rectificar el camino.

Disfruta el viaje

Deleitarse en el camino que se recorre antes de alcanzar el destino es uno de los mayores placeres que ofrece todo viaje. La felicidad no es la meta, es el viaje. Y perseguir el éxito ha de ser una travesía placentera. Como dijo el poeta y pensador estadounidense Ralph Emerson: «El éxito consiste en obtener lo que se desea. La felicidad, en disfrutar eso que obtuvimos».

El dinero es solo un recurso, un medio para un fin. Úsalo para vivir la vida que quieres en armonía con tu esencia y propósito. No justifiques gastos innecesarios pensando que te ayudarán a ser feliz. Tú eres quien mejor sabe qué cosas aportarán un valor real a tu existencia y qué cosas no.

Camina por el mundo sin miedo ni excusas, date la oportunidad de sentir, vivir, llorar y amar. Las palabras del escritor Mesaud Buzaglo son la mejor definición de éxito que conozco. Releerlas siempre me conmueve hasta las lágrimas:

«Ha tenido éxito en el mundo aquel que ha vivido dignamente; que ha reído a menudo y que ha amado mucho; que se ha ganado el respeto de los hombres inteligentes, así como el cariño de los niños; que ha cumplido su misión en la vida y terminado su obra con dignidad; que ha dejado el mundo mejor de lo que lo había hallado, así sea por medio de una planta mejorada, una poesía ideal o una vida salvada de la ruina. Ha tenido éxito aquel a quien nunca le faltó el sentido de la belleza del mundo y que ha sabido dar una expresión armoniosa a lo que sentía en su alma; aquel que ha buscado sin cesar lo que había de mejor en los demás y que ha dado a la humanidad lo mejor que tenía; aquel cuya vida ha sido una sana inspiración para otros y cuya memoria es una bendición.»

Rétate

Tómate unos minutos para reflexionar cuáles son tus creencias sobre el éxito. Pregúntate: ¿me lo merezco?, ¿soy capaz de lograrlo? Y asume como un mantra la frase del poeta romano Virgilio: «Pueden los que creen que pueden».

Mejor de lo que fuiste ayer

No voy a mentirte: fallarás muchas veces en el camino, te lo aseguro. ¡Yo caí cientos de veces! Me equivoqué una y otra vez. Pero no asumí esas pérdidas como derrotas que me derribaran definitivamente, sino como posibilidades para levantarme, aprender la lección y salir fortalecida.

También aprendí a perdonar mis equivocaciones y los ataques de quienes me hirieron profundamente. Me negué a ser una resentida. Si guardas rencor en tu corazón es porque aún no superas aquella persona o circunstancia que lo produjeron. El perdón te permite avanzar.

Identifica las barreras que detienen tu crecimiento y haz cambios para derribarlas. No permitas que nadie ni nada te distraigan de aquello que buscas. Si tu decisión es fuerte, más temprano que tarde estarás viviendo la vida que siempre soñaste y siendo una mejor versión de lo que fuiste ayer.

Rétate

Lleva tu mano a tu pecho y siente esa absoluta maravilla que ocurre unas 80 veces por minuto. ¿La sientes? Aquí y ahora, disfruta el milagro que significa cada latido de tu corazón.

Vivir rico en 10 pasos

«Nunca desperdiciaré mis
sueños por quedarme
dormido. Nunca más»

Eugene Ionesco

Como una estupenda anfitriona al momento de despedir a sus invitados, en estas últimas páginas pongo en tus manos el regalo resumido de mi método para vivir una existencia absolutamente satisfactoria.

Pero no te hagas trampa a ti mismo: el propósito de esta síntesis no es que te saltes las páginas anteriores, llenas de tareas sugeridas y nociones ampliadas, sino esquematizar una ruta de navegación con los 10 puntos a cumplir para alcanzar tus sueños. ¡Adelante!:

1
Sal de tu zona de confort

La zona de confort es ese estado mental donde la persona evita la ansiedad siguiendo la rutina de siempre. Es un área que abarca lo conocido y donde se sigue a gusto porque lo que ocurre alrededor está aparentemente bajo control.

Pero permanecer dentro de esta área de seguridad te hará una persona conformista y estancada. Para vencer el miedo, que es la principal barrera que te impide salir fuera de la paralizante zona de confort, emprende estas tres claves:

- Cree en ti.

- Define tu destino.

- Reconoce que siempre habrá obstáculos.

21 días para empezar a cambiar

Una estrategia extraordinaria para empezar a cambiar es practicar el reto de los 21 días. Ese es el lapso necesario para que tu mente y tu cuerpo asuman un nuevo hábito mediante el método de la repetición.

¿Eres victorioso o víctima? ¡Empodérate!

En todas las situaciones que enfrentes siempre habrá aspectos positivos y negativos, pero para salir adelante tienes que asumirte como victorioso, empoderarte y tomar para ti los siguientes atributos:

- Defiendo con firmeza mis decisiones.

- No permito ser influenciado de forma negativa.

- Admito mis debilidades, pero no me considero débil sino que las convierto en fortalezas.

- Mantengo alta mi autoestima.

2
Sueña sin excusas

Descubre lo que quieres y los objetivos por los que vale la pena luchar porque, como llegó a decir el escritor francés Víctor Hugo, «No hay nada como un sueño para crear el futuro».

La importancia de los otros

Si otros pudieron, tú también puedes lograrlo. Ese conocimiento te dará un punto de referencia para comparar que tus vivencias, por muy desafortunadas que sean, no son tan graves como las que otros padecen.

Excusas para procrastinar

Procrastinar es aplazar las tareas buscando alguna justificación para no realizarlas. «No soy lo suficientemente bueno para esta ocupación» o «nadie va necesitar de mi trabajo», son algunas de las muchas excusas que nos planteamos producto de una autoestima baja o porque te crees incapaz de alcanzar tus aspiraciones.

Reconoce la procrastinación por lo que realmente es: excusas, pretextos o justificaciones para no hacer nada. Sin culpar a otros o a circunstancias externas, admite tus miedos y dudas como las razones por las que aplazas tus responsabilidades.

3
Descubre quién eres y tu propósito

Puedes ganar mucho dinero con la actividad que realizas, pero si esa tarea no te emociona, no serás feliz porque no estás cumpliendo con tu propósito de vida. Para descubrir el propósito coherente con tu esencia, te invito a que te hagas las siguientes preguntas:

¿Quién soy yo?

Acá deberás identificar cuáles son tus valores, cualidades, así como tus debilidades y fortalezas. Subdivide esa pregunta esencial en las siguientes:

- ¿De qué estoy hecho?

- ¿Para qué soy bueno?

- ¿Me gusta permanecer aislado o compartir?

- ¿Prefiero dar o recibir?

- ¿Soy más de escuchar lo que otros dicen o de tomar siempre la palabra?

¿Cuál es mi propósito en la vida?

La respuesta a esta pregunta revela la motivación que sirve de gasolina al motor de tu existencia. Ahí está el germen de tu pasión, tus sueños, inquietudes, expectativas y el legado que quieres dejar. Algunas preguntas puntuales para resolver esta interrogante son:

- ¿Me gusta lo que hago?

- ¿Qué me gustaría hacer?

- ¿Para qué me gustaría hacerlo?

- ¿Qué necesito para conseguirlo?

- ¿Conozco a las personas que ya han hecho lo que me gustaría hacer?

- ¿Qué precio estoy dispuesto a pagar para lograrlo?

- ¿Cómo será mi vida cuando cumpla mis sueños?

¿Qué imagen proyecto ante el mundo?

Tu respuesta a esta tercera pregunta revelará si la imagen que proyectas ante el mundo coincide con los sueños que deseas alcanzar. Solidaridad, empatía y la generosidad de tus acciones son los filtros que debes utilizar para esta evaluación. Hazte las siguientes preguntas:

- ¿Mis amigos y familiares recurren a mí cuando necesitan ayuda?

- ¿Me muestro dispuesto a conocer gente nueva y fuera de mi zona de comodidad?

- ¿El último halago que recibí se basó en mi físico, mi ropa, mi desempeño laboral, o en un rasgo de mi personalidad?

- ¿En qué se basó la última crítica que recibí?

4
Libérate de las creencias limitantes

La crianza que recibiste de pequeño o las situaciones que hayas atravesado han sembrado en tu mente una serie de creencias limitantes que te mantienen atascado en tu actual situación. A continuación, algunas de estas creencias hechas frases con las que te juzgas:

- «Como naciste pobre, vas a morir pobre».

- «Para triunfar, a juro tienes que lograr un título universitario».

- «Búscate un marido que te mantenga».

- «Las personas gordas no consiguen pareja».

- «El dinero llama dinero y yo, como no lo tengo, nunca podré ser millonario».

- «La mujer se queda en la casa criando a los niños mientras el hombre de la casa sale a la calle a procurar el pan».

¿Cómo superar esas creencias limitantes? Adoptando pensamientos positivos que te permitan recuperar la fe y confianza en ti. «Creer posible algo es hacerlo cierto», dijo el dramaturgo y poeta alemán Friedrich Hebbel.

No te tomes las opiniones de manera personal

Es parte de la naturaleza humana buscar la aceptación y formar parte de un grupo, pero quien aspire a agradar a todos en todo momento difícilmente alcanzará sus sueños. Pocas veces las personas que te rodean tendrán la misma opinión que tú tengas sobre tus proyectos porque sus creencias, sentimientos, valores y formación son diferentes.

Adiós al *me*

Una buena práctica para asumir las opiniones de otros como un tema personal es quitarte de en medio y evaluar desde fuera los juicios ajenos. Bórrale el término *me* a la frase que escuchas.

Si tu pareja te grita o tu jefe te regaña, no te digas «mi pareja *me* gritó» o «mi jefe *me* regañó». Replantea la frase como «mi pareja gritó» y «mi jefe regañó». Al eliminar el *me*, tu cerebro asume la situación no como que te pasó a ti y genera un distanciamiento que te permitirá evaluar la situación sin victimizarte o culparte.

Aprende a diferenciar

Aprende a identificar a aquellas personas que te aconsejan para evitarte momentos de dolor, de quienes te etiquetan y proyectan en ti sus propias limitaciones.

5
Escucha tu intuición

La intuición es el *feeling* que te produce alguien o algo. Sin embargo, estamos acostumbrados a tomar nuestras decisiones desde la lógica y el razonamiento.

Pero recuerda: a veces esa lógica está contaminada por las creencias erróneas que nos inculcaron desde niños. Aprende a escuchar ese «pálpito» o súbito resplandor interno antes de que la maquinaria del razonamiento lo apague.

Alinea mente, cuerpo y corazón

Mente (pensamientos), cuerpo (sensaciones) y corazón (emociones), son los tres pilares sobre los que se levanta la intuición. Al coincidir entre sí las respuestas comienzan a aflorar. Someterse a la influencia de uno o dos de estos elementos y no el conjunto en total, lleva a tomar decisiones equivocadas.

La intuición mejora con la práctica

Un ejercicio que sugiero para alimentar la intuición es reservarte un momento de paz. Muchas personas lo llaman meditación o relajación. En todo caso, es un momento para escucharte y reflexionar sobre las decisiones que tomarás en ese día.

Cuándo decir NO

La baja autoestima junto con la necesidad de ser aceptados y tenidos en cuenta, pueden llevarnos a consentir situaciones contrarias a lo que dicta la intuición.

Decir NO es una práctica que debes cultivar no solo como emprendedor sino también como individuo. Algunas estrategias para negarte cuando tu intuición así te lo sugiere son:

- No te sientas culpable por decir «no».

- Dar prioridad a tus necesidades, opiniones y deseos no es una manifestación de egoísmo, sino de responsabilidad, autoestima y madurez.

- Decir «no» cuando lo consideras necesario es la mejor forma de comprobar cuánto te valoras.

- La confianza se fortalece cuando las relaciones no se sustentan en aprobaciones para mantener contentos a otros.

- Si ejerces tu derecho a decir «no», abrirás el canal para una comunicación más fiable, veraz y fluida.

- Tus negativas expresan sinceridad y respeto por los demás y por ti.

6
Eres imperfectamente perfecto

Muchas personas le niegan al mundo la oportunidad de disfrutar de la magia irrepetible de su personalidad, e impactar en los otros con su poder y encanto internos. No se trata de ser una modelo escultural como las que salen en las páginas de las revistas, sino cumplir tres pasos vitales:

1) Conocerte y entenderte

Reflexionar en quién eres pero como si fueras otra persona: imagina que estás parado ante otro individuo, identifica sus debilidades y fortalezas, y piensa en aquellas cosas buenas que podrías decir sobre ese individuo que eres tú.

Elogia aquello que has hecho bien para empezar a generar confianza a nivel personal, identifica lo que puedes mejorar, y emplea esa reflexión como la base para generar creencias positivas sobre ti.

2) Aceptarte

El entendimiento de quién eres te abrirá las puertas para aceptarte. Reconoce esas carencias porque también son parte de ti: te guste o no, tus virtudes y defectos conforman a la persona que eres hoy.

3) Amarte

Sé el amor de tu vida. Nadie podrá llenar el vacío que solo tú eres responsable de llenar. Para elevar el amor propio te sugiero las siguientes prácticas:

- Conecta contigo parándote ante un espejo y mirándote a los ojos durante un mínimo de 5 o 10 minutos. Mientras te miras, háblate con cariño y di afirmaciones como «Yo puedo», «Yo soy suficiente», «Yo puedo alcanzar mis deseos».

- Toma conciencia sobre qué opinas de ti, si te desvalorizas o juzgas más de lo debido. Observa esas críticas negativas y rectifícalas.

- Mímate. Pregúntate qué necesitas o qué te haría bien, y sal a satisfacer esas necesidades y deseos.

- Conecta con tu niño interno, con esa época en que eras plenamente feliz, sin prejuicios y obsesiones sobre ti.

- Recuerda las crisis que superaste en el pasado, y reconoce que tienes el poder para enfrentar iguales o mayores adversidades en el futuro.

- Asume riesgos. Vence las creencias limitantes acerca de ti y enfrenta situaciones que manifiesten tu poder.

7
Piensa que ya lo lograste, y lo lograrás

Tus pensamientos son poderosos. Sin embargo, el ruido de la vida moderna, los compromisos, las presiones laborales o de pareja nos mantienen dentro un remolino de responsabilidades que impiden detenernos a pensar. El resultado de eso es seguir actuando en modo piloto automático. Así pierdes tu esencia y tu propósito.

Para evitar andar en la vida como un autómata, te invito a utilizar esas herramientas utilísimas para alcanzar tus sueños: imaginar y cultivar pensamientos. El objetivo ahora es encender tus pensamientos y ponerlos a trabajar a tu favor, y no tú para ellos.

Ley de Atracción

Según esta ley, los pensamientos, ya sean conscientes o inconscientes, son energía que devuelve una onda energética parecida a la emitida: pensar que ya disfrutas de lo deseado refuerza la posibilidad de obtenerlo. Los estudiosos de esta teoría apuntan que deben darse cuatro fases para controlar esa energía vital que parte de nuestros pensamientos:

- Saber qué quieres y pedirlo al universo.

- Enfocar los pensamientos sobre lo deseado, siempre con una actitud optimista y agradecida.

- Actuar como si ya lograste lo que deseas.

- Permanecer abierto a recibirlo.

Visualiza que ya lo lograste

Una táctica eficaz es visualizar tus metas y pensar en ellas como si ya las alcanzaste. Si quieres montar una floristería, visualiza el tipo de local donde te gustaría instalarla, la decoración del establecimiento y hasta el color y estilo del mobiliario. Es lo que se conoce como círculo virtuoso:

- **Creencia:** la convicción de que sí es posible.

- **Acción:** la ejecución de la creencia.

- **Resultado:** los beneficios obtenidos luego de la acción.

- **Programación:** el esquema mental que asimila la mente para repetir el proceso a futuro.

Tres preguntas fundamentales

Te planteo tres interrogantes que te ayudarán a superar los pensamientos negativos:

- ¿Qué dirán de mí las personas que asistan a mi funeral?

- ¿Qué es lo más importante en mi vida y qué estoy dispuesto a hacer para demostrarlo hoy?

- ¿Por qué estoy agradecido hoy?

8
¡Ponte en movimiento!

Las personas que solo piensan e imaginan en lo que podría llegar a ser su vida pero no toman acciones, jamás obtendrán resultados. Por ello es importante ejecutar los siguientes 4 pasos:

1) Formarte

Si quieres obtener resultados, primero debes dominar el conocimiento y las habilidades necesarias para sobresalir dentro de tu campo de acción.

2) Metas realistas y graduales

Con metas realistas no te darás por vencido si fallas. También deben ser graduales, es decir, que las puedes lograr paso a paso.

3) El plan

Necesitas planificar paso a paso cómo conseguir cada uno de tus objetivos y metas.

4) La ejecución

Lo que piensas, lo que sabes o lo que crees, no se concretarán en resultados si no ejecutas. Verifica tu plan cada cierto tiempo para comprobar que las acciones que realices te están llevando por la senda correcta.

9
¿Qué dejas? El legado es ahora

Están muy equivocados quienes piensan que el legado es lo que heredarás a otros cuando mueras: el legado se construye y trasmite minuto a minuto.

Pregúntate qué dejas a los demás en tu día a día. A tu pareja, ¿le dejas una sonrisa en su boca cada vez que comparten juntos? Si manejas una empresa, ¿cómo esa compañía contribuye para hacer de este un mundo mejor? Y a tus hijos, ¿qué enseñanzas les estás entregando para que sean personas libres y con una existencia plena?

10
¡Disfruta el viaje!

No dejes que las prisas y el estrés por alcanzar tus sueños te impidan disfrutar de tu presente y los milagros de los que gozas hoy. No sacrifiques el ahora por concentrarte en el mañana, ni dejes que la vida pase delante de tus ojos sin que su belleza te conmueva.

El único momento palpable es el ahora. No digas «Yo viví» o «Yo viviré». Conjuga en tiempo presente el verbo más hermoso que existe: «Yo vivo». Vive a plenitud. Lo demás vendrá por añadidura.

Esta primera edición de
Nacer pobre, vivir rico®
fue publicada en 2019